LES BROCHETTES

BROCHETTES

Il me semble que les brochettes subissent un traitement injuste. Pourquoi se limiter à ne les essayer qu'au restaurant où le menu n'offre souvent qu'un choix de deux brochettes? Ne serait-il pas intéressant de goûter aux délices d'une brochette de pétoncles servie sur un lit de persil frit ou d'une brochette de saumon aux concombres ou plus encore, d'une brochette «Passion»? Et tout cela de façon beaucoup moins onéreuse. Je me doutais bien que cette idée vous plairait. J'ai donc préparé ce livre qui regorge de brochettes plus alléchantes et savoureuses les unes que les autres. Pour les sceptiques qui s'affolent à l'idée de préparer des brochettes, DÉTENDEZ-VOUS, c'est un vrai jeu d'enfant. Le secret de la réussite? Quelques broches de bois ou de métal, un grand plat de service allant au four, un couteau bien affûté et n'oublions pas le plus important: des ingrédients de première qualité. Laissez aller votre imagination et surtout n'hésitez pas à servir des brochettes aussi bien au lunch qu'au repas du soir. Accompagnez-les de brochettes de légumes. Pour la touche finale? Des desserts en brochettes, naturellement!

Marinade à la moutarde pour viande ou poisson

1 PORTION	207 CALORIES	0g GLUCIDES
0g PROTÉINES	23g LIPIDES	0g FIBRES

300 ml	(1¼ tasse) huile d'olive
75 ml	(5 c. à soupe) moutarde de Dijon
2	gousses d'ail, écrasées et hachées
5 ml	(1 c. à thé) estragon
	jus de 1 citron
	quelques gouttes de sauce Tabasco
	sel et poivre

Bien incorporer tous les ingrédients dans un petit bol. Verser la marinade sur la viande ou le poisson et réfrigérer 30 minutes.

Avant la cuisson: égoutter la marinade et la réserver pour le badigeonnage.

Pour les gens pressés: utiliser cette marinade forte comme assaisonnement, sans faire mariner la viande au préalable.

Marinade pour agneau ou poisson

1 PORTION	175 CALORIES	1g GLUCIDES
0g PROTÉINES	19g LIPIDES	0g FIBRES

250 ml	(1 tasse) huile d'olive
3	gousses d'ail, écrasées et hachées
3	échalotes sèches, finement hachées
125 ml	(½ tasse) jus de citron
2 ml	(½ c. à thé) romarin moulu
2 ml	(½ c. à thé) origan
	sel et poivre

Bien incorporer tous les ingrédients dans un petit bol. Verser la marinade sur l'agneau ou le poisson. Réfrigérer toute la nuit.

Avant la cuisson: égoutter la marinade et la réserver pour le badigeonnage.

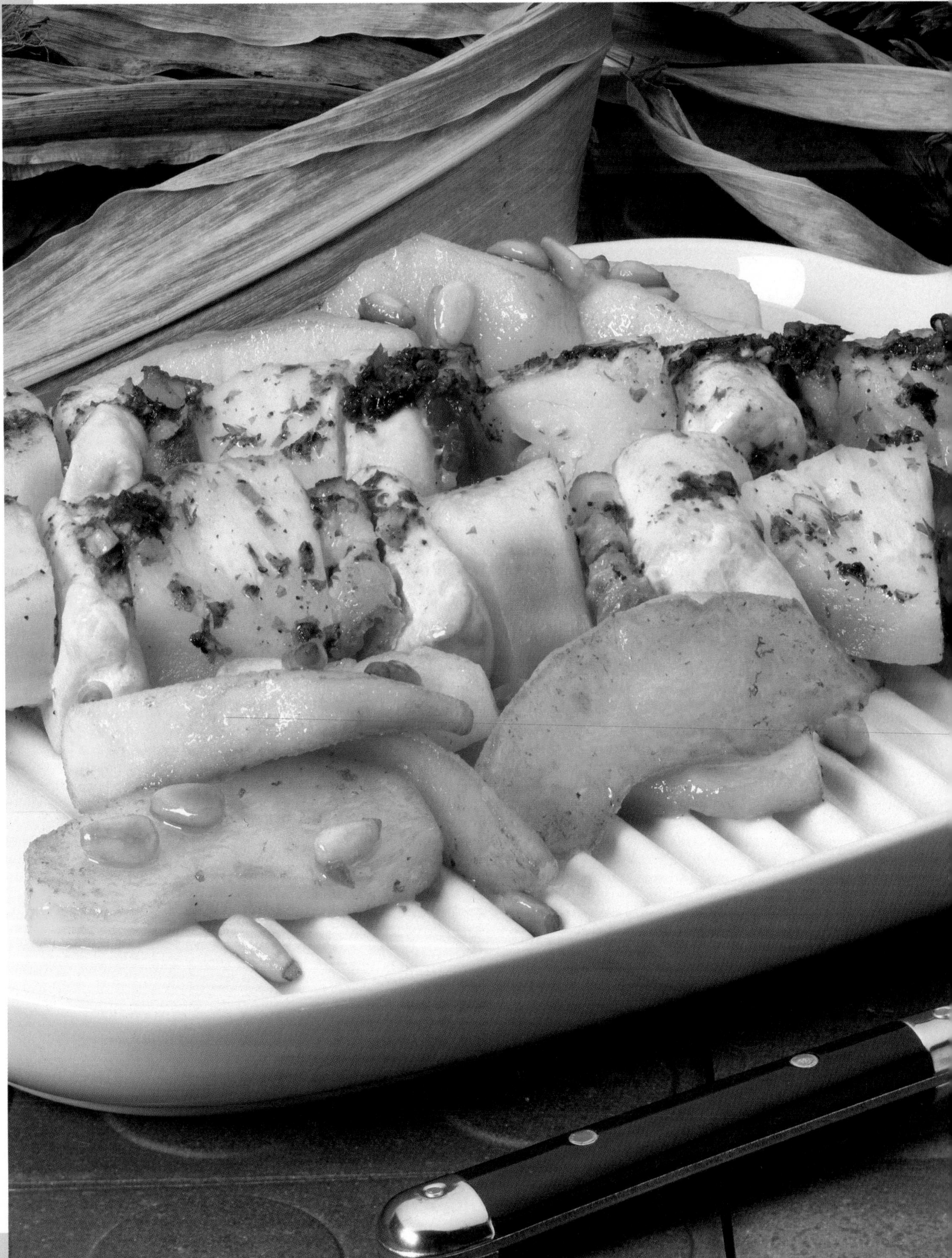

Brochettes de poulet à l'ananas

(pour 4 personnes)

1 PORTION	321 CALORIES	12g GLUCIDES
21g PROTÉINES	21g LIPIDES	0,4g FIBRES

2	poitrines de poulet sans peau, coupées en deux et désossées
½	ananas, coupé en morceaux de 2,5 cm (1 po)
5	tranches de bacon cuit, coupées en deux
45 ml	(3 c. à soupe) beurre
2	gousses d'ail, écrasées et hachées
30 ml	(2 c. à soupe) persil frais haché
	quelques gouttes de sauce Tabasco
	sel et poivre

Préchauffer le four à 240°C (450°F).

Couper le poulet en cubes de 2,5 cm (1 po). Sur des brochettes, enfiler, en alternant, poulet, ananas et bacon. Mettre de côté.

Faire chauffer le beurre dans une petite casserole à feu moyen. Ajouter ail, persil et sauce Worcestershire; bien remuer.

Placer les brochettes dans un plat allant au four et les badigeonner du mélange de beurre. Poivrer généreusement.

Faire cuire 12 minutes au four tout en retournant les brochettes 1 ou 2 fois. Badigeonner, si désiré.

Servir avec des pommes sautées et des pignons.

Préparer les ingrédients tel qu'indiqué dans la recette.

Sur des brochettes, enfiler, en alternant, poulet, ananas et bacon.

Un mélange de beurre, ail, persil et sauce Worcestershire relèvera le goût des brochettes.

Bien badigeonner les brochettes avant la cuisson.

Pilons de poulet marinés

(pour 4 personnes)

1 PORTION	277 CALORIES	13g GLUCIDES
27g PROTÉINES	13g LIPIDES	1,4g FIBRES

900 g	(2 livres) pilons de poulet
15 ml	(1 c. à soupe) sauce piquante Trinidad
5 ml	(1 c. à thé) sauce Worcestershire
30 ml	(2 c. à soupe) huile
1	piment vert, en petits cubes
2	bananes pas trop mûres, pelées et tranchées épais
	sel et poivre

Préchauffer le four à 240°C (450°F).

À l'aide d'un couteau, entailler les pilons et les mettre dans une assiette. Les arroser de sauce piquante, sauce Worcestershire et huile. Saler, poivrer.

Enfiler le poulet sur des brochettes et faire cuire 10 minutes au four. Retourner les brochettes et continuer la cuisson 10 minutes.

Retirer le poulet des brochettes et laisser refroidir.

Sur les brochettes, enfiler, en alternant: poulet, piment vert et banane. Placer les brochettes dans un plat allant au four. Faire cuire 8 minutes au four.

Servir avec une sauce épicée.

1 Entailler la chair des pilons avec un couteau. Déposer dans une assiette.

3 Enfiler les pilons sur des brochettes et faire cuire 20 minutes au four.

2 Arroser le poulet de sauce piquante, sauce Worcestershire et huile. Saler, poivrer.

4 Sur des brochettes, enfiler, en alternant, poulet, piment vert et banane. Prolonger la cuisson de 8 minutes.

Poulet
à l'indonésienne

(pour 4 personnes)

1 PORTION	381 CALORIES	7g GLUCIDES
23g PROTÉINES	29g LIPIDES	1,0g FIBRES

2	poitrines de poulet sans peau, coupées en deux et désossées
125 ml	(½ tasse) noix hachées
125 ml	(½ tasse) jus de limette
250 ml	(1 tasse) bouillon de poulet chaud
2	gousses d'ail, écrasées et hachées
15 ml	(1 c. à soupe) huile d'olive
250 ml	(1 tasse) crème sure
30 ml	(2 c. à soupe) ciboulette hachée
	sel et poivre

Couper le poulet en cubes de 1,2 cm (½ po). Mettre le tout dans un bol et ajouter noix, jus de limette, bouillon de poulet et ail. Saler, poivrer et faire mariner 2 heures au réfrigérateur.

Enfiler le poulet sur des brochettes. Placer les brochettes dans un plat allant au four. Réserver ⅓ de la marinade.

Badigeonner les brochettes d'huile. Faire griller au four, à 15 cm (6 po) de l'élément supérieur, 6 à 7 minutes de chaque côté.

Avant la fin de la cuisson des brochettes, mélanger la marinade réservée avec crème sure et ciboulette. Servir avec le poulet.

Brochettes
de poulet piquant

(pour 4 personnes)

1 PORTION	290 CALORIES	23g GLUCIDES
27g PROTÉINES	10g LIPIDES	1,2g FIBRES

375 g	(¾ livre) têtes de champignons frais, nettoyées
1 ml	(¼ c. à thé) jus de citron
500 g	(1 livre) poitrines de poulet sans peau, coupées en deux et désossées
15 ml	(1 c. à soupe) sauce Worcestershire
2	œufs battus
250 ml	(1 tasse) chapelure
1	piment rouge, en petits cubes
	sauce piquante mexicaine, au goût
	un peu de beurre fondu

Préchauffer le four à 240°C (450°F).

Mettre les champignons dans un bol et les arroser de jus de citron. Mettre de côté.

Couper le poulet en cubes de 2,5 cm (1 po). Déposer le poulet dans un autre bol et ajouter sauce Worcestershire et sauce piquante. Laisser mariner 15 minutes.

Verser les œufs battus dans un gros bol. À l'aide de pinces, tremper les cubes de poulet dans les œufs pour bien les enrober.

Rouler les cubes de poulet dans la chapelure. Sur des brochettes, enfiler, en alternant: poulet, champignon et piment rouge.

Placer les brochettes dans un plat allant au four et les arroser légèrement de beurre fondu. Faire cuire 15 minutes au four en retournant les brochettes 1 ou 2 fois.

Laisser mariner poulet, sauce Worcestershire et sauce piquante pendant 5 minutes dans un bol.

Rouler le poulet dans la chapelure.

Bien tremper le poulet dans les œufs battus.

Sur des brochettes, enfiler, en alternant: poulet, champignon et piment rouge.

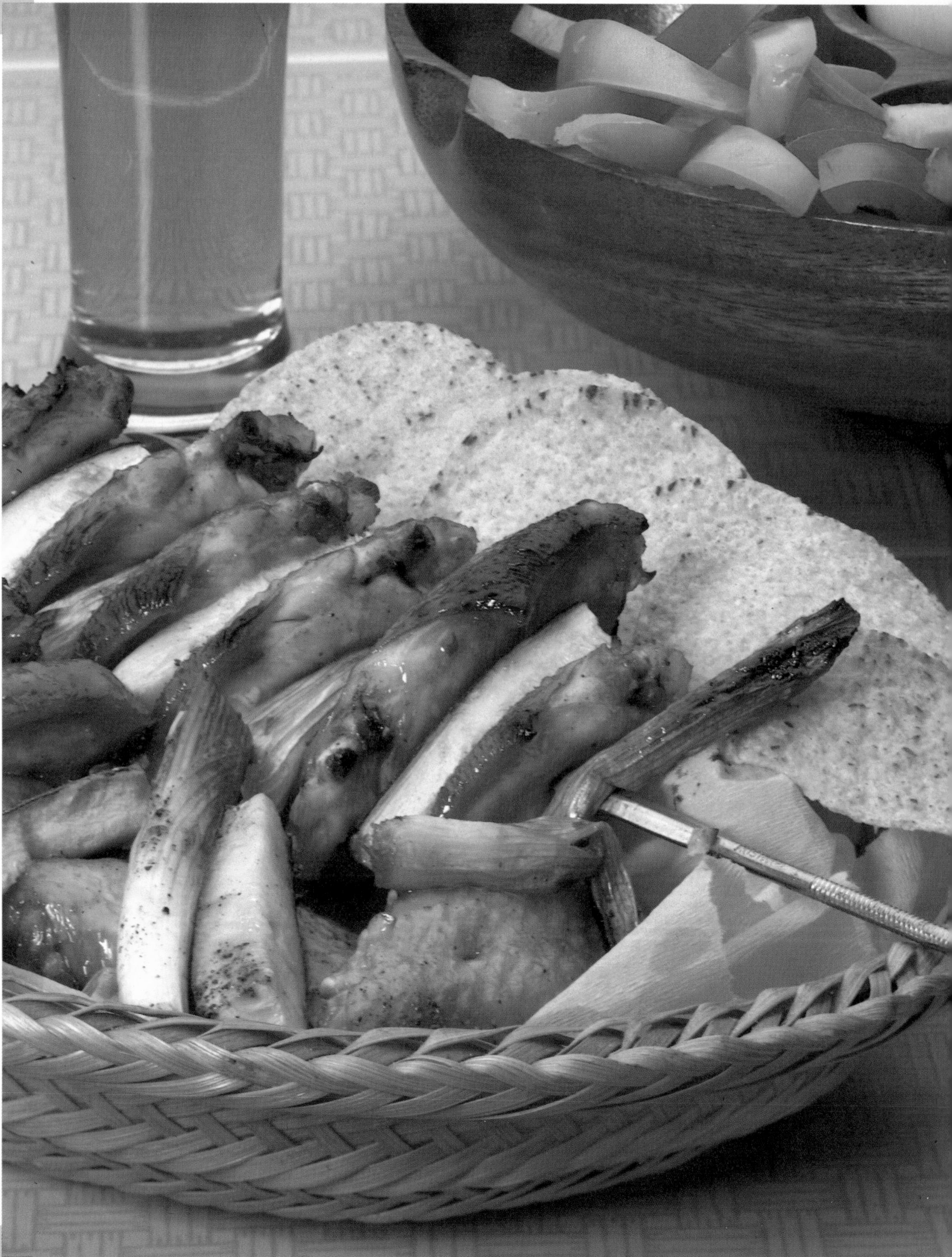

Ailerons à l'ail

(pour 4 personnes)

1 PORTION	251 CALORIES	14g GLUCIDES
15g PROTÉINES	15g LIPIDES	0,9g FIBRES

32	ailerons de poulet, la partie épaisse seulement
3	gousses d'ail, écrasées et hachées
125 ml	(½ tasse) sauce barbecue
30 ml	(2 c. à soupe) miel
15 ml	(1 c. à soupe) jus de citron
30 ml	(2 c. à soupe) huile
15 ml	(1 c. à soupe) vinaigre de vin
2 ml	(½ c. à thé) cassonade
16	bâtonnets d'oignons verts, 4 cm (1½ po) de longueur
16	bâtonnets de courgette, 4 cm (1½ po) de longueur
	sel et poivre

Mettre ailerons, ail, sauce barbecue, miel, jus de citron, huile, vinaigre et cassonade dans un bol. Réfrigérer 30 minutes.

Bien égoutter et réserver la marinade.

Sur des brochettes, enfiler, en alternant, oignon, poulet et courgette. Placer les brochettes dans un plat allant au four et les badigeonner de marinade. Saler, poivrer.

Mettre le tout au four, à 15 cm (6 po) de l'élément supérieur et faire cuire 12 minutes à Gril (broil). Retourner les brochettes 2 fois.

Régler le four à 240°C (450°F) et finir la cuisson au bas du four pendant 7 minutes. Assaisonner durant la cuisson.

Si désiré, servir dans des paniers.

1 Utiliser la partie épaisse des ailerons pour les brochettes. Utiliser le bout des ailerons dans d'autres recettes.

2 Faire mariner les ailerons dans ail, sauce barbecue, miel, jus de citron, huile, vinaigre et cassonade.

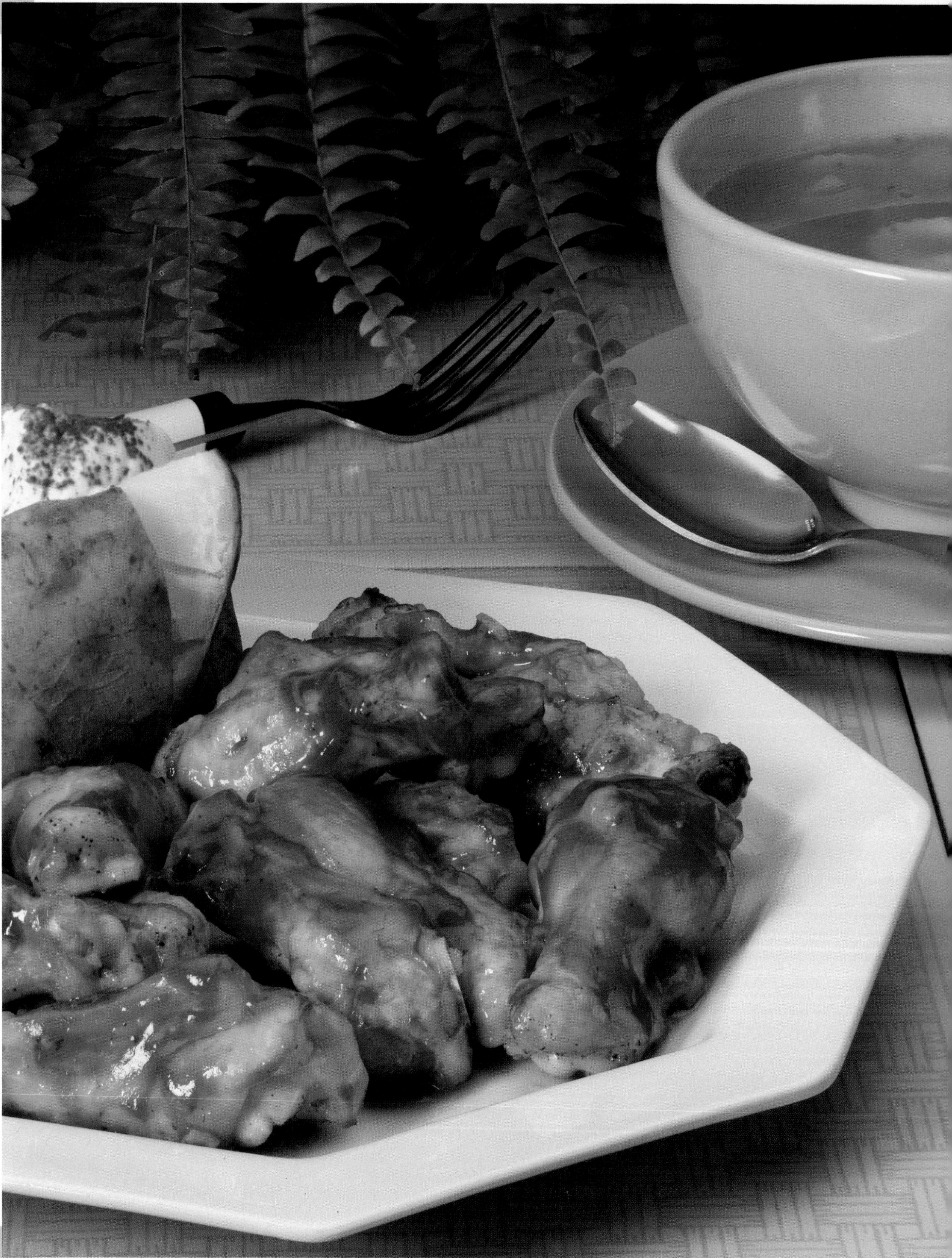

Ailerons de poulet en brochettes

(pour 4 personnes)

1 PORTION	153 CALORIES	4g GLUCIDES
14g PROTÉINES	9g LIPIDES	0g FIBRES

32	ailerons de poulet, la partie épaisse seulement
355 ml	(12 oz) bière
2	oignons verts, émincés
125 ml	(½ tasse) ketchup
30 ml	(2 c. à soupe) sauce HP
15 ml	(1 c. à soupe) sauce soya
15 ml	(1 c. à soupe) gingembre frais, finement haché
15 ml	(1 c. à soupe) vinaigre de vin
1 ml	(¼ c. à thé) sauce Tabasco
15 ml	(1 c. à soupe) miel
15 ml	(1 c. à soupe) huile
	sel et poivre

Préchauffer le four à 240°C (450°F).

Conserver le bout des ailerons pour d'autres recettes. Mettre la partie la plus épaisse des ailerons dans un bol. Ajouter la bière et oignons verts. Réfrigérer 1 heure.

Entre-temps, bien incorporer ketchup, sauce HP, sauce soya, gingembre, vinaigre, Tabasco et miel. Mettre de côté.

Bien égoutter le poulet et jeter la marinade. Enfiler les ailerons sur des brochettes et les placer dans un plat allant au four. Saler, poivrer et badigeonner d'huile.

Faire cuire 18 minutes au milieu du four. Retourner les brochettes 2 fois.

Retirer du four. Badigeonner les brochettes du mélange de ketchup. Régler le four à Gril (broil). Placer les brochettes à 10 cm (4 po) de l'élément supérieur et faire griller de 5 à 6 minutes.

Retourner les brochettes, badigeonner et continuer la cuisson de 5 à 6 minutes.

Servir avec des pommes de terre au four.

Dans bière et oignons, faire mariner le poulet 1 heure au réfrigérateur.

Bien mélanger ketchup, sauce HP, sauce soya, gingembre, vinaigre, Tabasco et miel. Mettre de côté. Ce mélange rehaussera la saveur des ailerons.

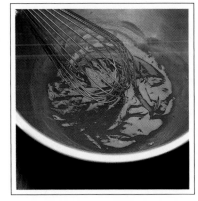

Poulet, oignon et courgette

(pour 4 personnes)

1 PORTION	166 CALORIES	8g GLUCIDES
20g PROTÉINES	6g LIPIDES	1,4g FIBRES

500 g	(1 livre) poitrines de poulet sans peau, coupées en deux et désossés
15 ml	(1 c. à soupe) gingembre frais haché
45 ml	(3 c. à soupe) sauce soya
1	gousse d'ail, écrasée et hachée
8	petits oignons blancs, blanchis
1	piment jaune, en petits cubes
8	petits morceaux de courgette
1	piment rouge, en petits cubes
4	sections de citron
15 ml	(1 c. à soupe) sel et poivre

Couper le poulet en cubes de 1,2 cm (½ po). Mettre poulet, gingembre, sauce soya et ail dans un bol; réfrigérer 30 minutes.

Égoutter le poulet et réserver la marinade.

Sur des brochettes, enfiler, en alternant, poulet, légumes et citron. Placer les brochettes dans un plat allant au four. Saler, poivrer. Badigeonner de marinade et arroser d'huile.

Placer les brochettes au four, à 15 cm (6 po) de l'élément supérieur. Faire cuire à Gril (broil) 4 minutes de chaque côté tout en badigeonnant 2 fois.

Mettre poulet gingembre, sauce soya et ail dans un bol; refrigérer 30 minutes.

1

Sur des brochettes, enfiler, en alternant, poulet, légumes et citron. Le citron donnera un goût spécial aux brochettes.

2

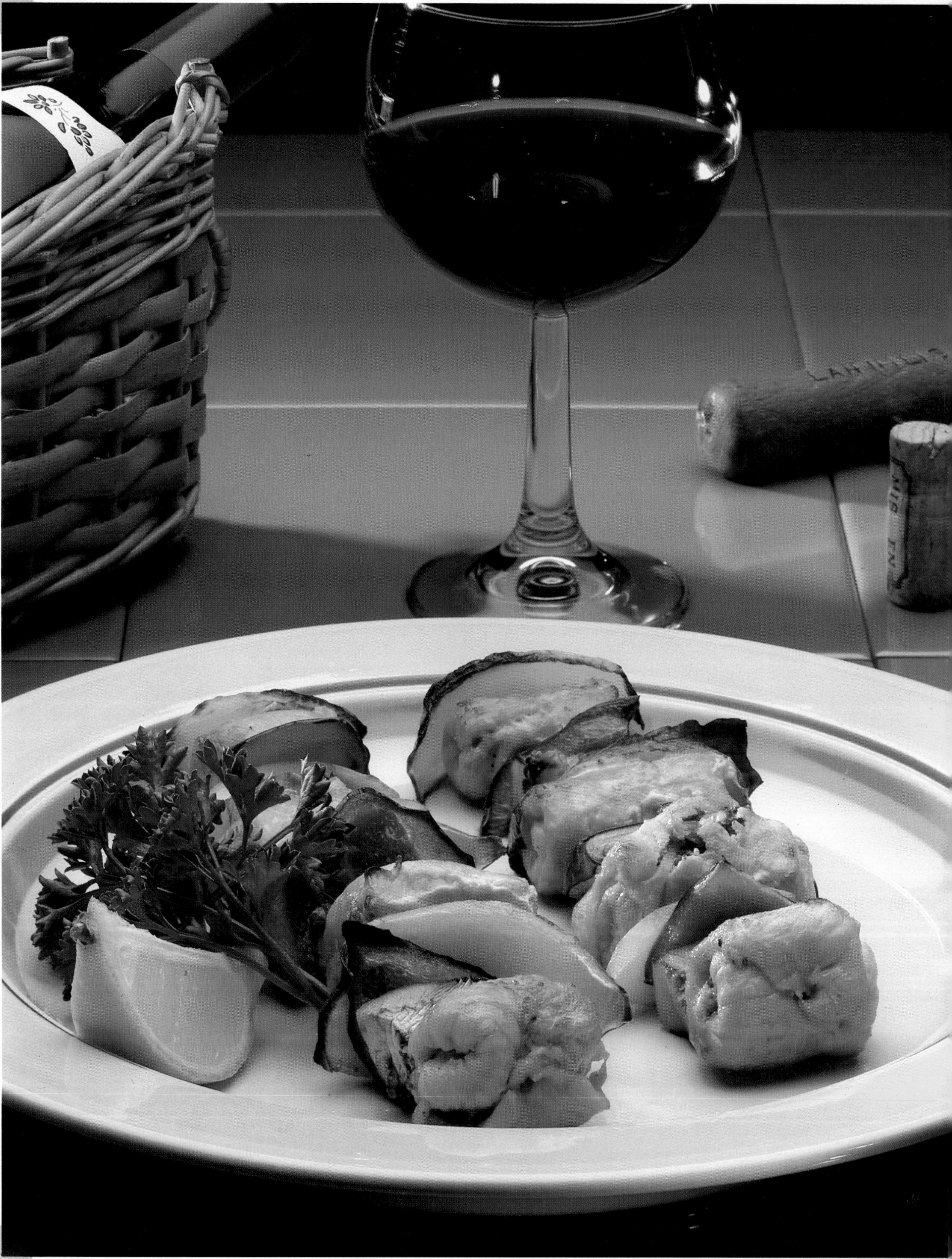

Dinde farcie en brochettes

(pour 4 personnes)

1 PORTION	321 CALORIES	4g GLUCIDES
29g PROTÉINES	21g LIPIDES	0,7g FIBRES

45 ml	(3 c. à soupe) beurre
2	échalotes sèches, finement hachées
1 ml	(1¼ c. à thé) estragon
125 g	(¼ livre) champignons frais, finement hachés
15 ml	(1 c. à soupe) persil frais haché
45 ml	(3 c. à soupe) crème à 35%
16	tranches minces de poitrine de dinde non cuite, aplaties
¼	oignon rouge, en morceaux
1	piment vert, en cubes
15 ml	(1 c. à soupe) jus de citron
	sel et poivre

1 Placer la tranche de dinde entre deux feuilles de papier ciré et l'aplatir avec un maillet.

2 Après avoir cuit échalotes et estragon 2 minutes, ajouter champignons et persil; continuer la cuisson 4 minutes à feu moyen-vif.

3 Incorporer la crème; faire cuire 2 à 3 minutes à feu moyen-vif. Retirer du feu et laisser refroidir légèrement.

4 Étendre 15 ml (1 c. à soupe) de farce aux champignons sur chaque tranche de dinde. Plier les côtés et rouler.

Préchauffer le four à 200°C (400°F).

Faire chauffer 30 ml (2 c. à soupe) de beurre dans une poêle à frire. Ajouter échalotes et estragon; faire cuire 2 minutes.

Ajouter champignons et persil; continuer la cuisson 4 minutes à feu moyen-vif. Assaisonner généreusement.

Incorporer la crème; faire chauffer 2 à 3 minutes à feu vif. Retirer du feu et laisser refroidir légèrement.

Mettre les tranches de dinde à plat sur le comptoir. Étendre 15 ml (1 c. à soupe) de farce aux champignons sur chaque tranche. Replier un côté sur la farce. Plier le second côté pour qu'il empiète légèrement sur le premier. Rouler le tout en partant d'une extrémité.

Sur des brochettes, enfiler rouleau de dinde, oignon et piment vert. Mettre de côté dans un plat allant au four.

Mélanger le reste du beurre au jus de citron. Badigeonner les brochettes du mélange. Saler, poivrer.

Régler le four à Gril (broil) et placer les brochettes à 15 cm (6 po) de l'élément supérieur. Faire griller 6 minutes de chaque côté en badigeonnant de temps en temps.

Lanières de bœuf aux légumes

(pour 4 personnes)

1 PORTION	389 CALORIES	12g GLUCIDES
47g PROTÉINES	17g LIPIDES	3,7g FIBRES

30 ml	(2 c. à soupe) huile d'olive
750 g	(1 ½ livre) pointe de surlonge
3	gousses d'ail, écrasées et hachées
1	tête de brocoli (fleurettes), blanchie 4 minutes
16	tomates naines
½	oignon rouge, en sections
	jus de citron
	sel et poivre

Faire chauffer 5 ml (1 c. à thé) d'huile dans une poêle à frire.

Ajouter le morceau de viande et faire saisir sur tous les côtés. Saler, poivrer.

Trancher le bœuf en lanières de 0,65 cm (¼ po). Mettre le bœuf dans un bol. Ajouter huile, ail et jus de citron. Laisser mariner 15 minutes.

Égoutter la viande et réserver la marinade. Plier les lanières de bœuf en deux et les enfiler sur des brochettes avec les légumes.

Placer les brochettes dans un plat allant au four. Faire cuire au four à Gril (broil), à 15 cm (6 po) de l'élément supérieur, pendant 6 minutes. Retourner les brochettes 1 fois et les badigeonner fréquemment de marinade.

Mettre le reste de l'huile, ail et jus de citron dans un bol.

Ajouter les lanières de bœuf; laisser mariner 15 minutes.

 Égoutter la viande. Réserver la marinade.

 Plier les lanières de bœuf en deux et les enfiler sur des brochettes avec les légumes.

Brochettes de bœuf et de pommes de terre

(pour 4 personnes)

1 PORTION	441 CALORIES	27g GLUCIDES
45g PROTÉINES	17g LIPIDES	4,8g FIBRES

750 g	(1 ½ livre) surlonge de bœuf, en lanières de 2,5 cm (1 po) de longueur et 2 cm (¾ po) d'épaisseur
45 ml	(3 c. à soupe) sauce soya
2	gousses d'ail, écrasées et hachées
30 ml	(2 c. à soupe) huile végétale
16	petites pommes de terre nouvelles rondes, cuites
30 ml	(2 c. à soupe) ketchup
15 ml	(1 c. à soupe) miel
	sel et poivre

Préchauffer le four à 200°C (400°F).

Mettre bœuf, sauce soya, ail et huile dans un bol; laisser mariner 15 minutes.

Sur des brochettes, enfiler, en alternant, bœuf et pommes de terre. Placer les brochettes dans un plat allant au four.

Mélanger ketchup et miel. Badigeonner les brochettes du mélange. Saler, poivrer. Faire cuire au four à Gril (broil), à 15 cm (6 po) de l'élément supérieur, pendant 7 minutes. Les retourner 1 fois.

Servir avec une salade.

Bœuf mariné au bourbon

(pour 4 personnes)

1 PORTION	435 CALORIES	13g GLUCIDES
53g PROTÉINES	19g LIPIDES	1,5g FIBRES

900 g	(2 livres) pointe de surlonge, en cubes de 3 cm (1 ¼ po)
50 ml	(¼ tasse) bourbon
30 ml	(2 c. à soupe) sauce soya
5 ml	(1 c. à thé) moutarde de Dijon
1 ml	(¼ c. à thé) sauce Worcestershire
12	têtes de champignons, blanchies
12	morceaux de bok choy (le pied seulement)
2	oignons blancs, coupés en 4, blanchis et coupés en sections
2	grosses carottes, coupées en morceaux de 1,2 cm (½ po) et blanchies
30 ml	(2 c. à soupe) huile végétale
	sel et poivre

Dans un bol, mettre viande, bourbon, sauce soya, moutarde et sauce Worcestershire. Laisser mariner 1 heure.

Égoutter le bœuf et réserver la marinade. Sur des brochettes, enfiler, en alternant, bœuf et légumes. Placer les brochettes dans un plat allant au four et les badigeonner d'huile.

Bien assaisonner les brochettes et les placer au four à Gril (broil), à 10 cm (4 po) de l'élément supérieur. Faire griller 2 minutes de chaque côté.

Baisser les brochettes à 15 cm (6 po) de l'élément supérieur et prolonger la cuisson de 2 minutes de chaque côté. Badigeonner de marinade.

Veau mariné à la bière

(pour 4 personnes)

1 PORTION	186 CALORIES	11g GLUCIDES
13g PROTÉINES	10g LIPIDES	1,4g FIBRES

250 g	(½ livre) filet de veau, en tranches de 0,65 cm (¼ po) d'épaisseur
250 ml	(1 tasse) bière
15 ml	(1 c. à soupe) gingembre frais haché
1 ml	(¼ c. à thé) sauce Tabasco
1 ml	(¼ c. à thé) sauce piquante Trinidad
12	oignons verts, en bâtonnets de 3 cm (1 ¼ po) de longueur
1	petite courgette, en tranches de 1,2 cm (½ po) d'épaisseur
1	piment vert, en petits cubes
15 ml	(1 c. à soupe) huile végétale
15 ml	(1 c. à soupe) miel
	sel et poivre

Dans un bol, mettre veau, bière, gingembre, Tabasco et sauce piquante. Saler, poivrer et réfrigérer 1 heure.

Égoutter le veau et réserver la marinade.

Plier les morceaux de veau en deux. Sur des brochettes, enfiler, en alternant, veau, oignon, courgette et piment. Placer les brochettes dans un plat allant au four et les badigeonner de marinade.

Arroser les brochettes d'huile et de miel.

Mettre les brochettes au four à Gril (broil), à 15 cm (6 po) de l'élément supérieur. Faire griller 16 minutes en retournant les brochettes 2 fois durant la cuisson.

Servir sur du riz.

1 Mettre veau, bière, gingembre, Tabasco et sauce piquante dans un bol. Saler, poivrer et réfrigérer 1 heure.

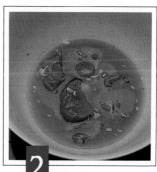

2 Plier les morceaux de veau et les enfiler sur des brochettes en albernant avec les légumes.

Brochettes d'escalopes de veau

(pour 4 personnes)

1 PORTION	216 CALORIES	6g GLUCIDES
12g PROTÉINES	16g LIPIDES	0g FIBRES

4	escalopes de veau, taillées dans la cuisse
45 ml	(3 c. à soupe) huile d'olive
30 ml	(2 c. à soupe) sirop d'érable
1 ml	(¼ c. à thé) estragon
15 ml	(1 c. à soupe) vinaigre de vin
	quelques gouttes de sauce piquante Trinidad
	jus de citron au goût
	paprika au goût
	sel et poivre

Si nécessaire, aplatir les escalopes de veau entre deux feuilles de papier ciré. Les escalopes doivent être très minces. Assaisonner au goût.

Rouler les escalopes sur la longueur et les enfiler sur de longues brochettes. Voir technique, photo n° 2.

Placer les brochettes dans un plat allant au four. Mettre de côté.

Mélanger huile, sirop d'érable, estragon, vinaigre et sauce piquante. Saler, poivrer et arroser de jus de citron.

Badigeonner les brochettes du mélange et faire cuire au four à Gril (broil), à 15 cm (6 po) de l'élément supérieur, pendant 7 minutes.

Retourner les brochettes et les saupoudrer de paprika. Badigeonner de marinade et continuer la cuisson pendant 7 minutes.

Retirer les escalopes des brochettes.

Servir avec des légumes verts et garnir de tomates grillées.

Les escalopes de veau doivent être très minces. Si nécessaire, les aplatir entre deux feuilles de papier ciré.

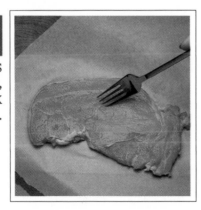

Pour bien faire tenir la viande en place, piquer la brochette deux fois dans le rouleau de veau.

Veau et têtes de champignons

(pour 4 personnes)

1 PORTION	285 CALORIES	4g GLUCIDES
20g PROTÉINES	21g LIPIDES	0,6g FIBRES

250 g	(½ livre) filet de veau, en petits cubes
12	têtes de champignons frais, nettoyées
12	morceaux de céleri
8	tranches d'oignon rouge
50 ml	(¼ tasse) vinaigre de vin
2	gousses d'ail, écrasées et hachées
45 ml	(3 c. à soupe) huile d'olive
1 ml	(¼ c. à thé) poivre du moulin
5 ml	(1 c. à thé) persil frais haché
9	feuilles de laurier
3	tranches de bacon de dos cuit, de 1,2 cm (½ po) d'épaisseur, coupées en cubes et sautées au beurre

Placer veau, champignons, céleri et oignon dans un bol. Mettre de côté.

Mettre vinaigre, ail, huile, poivre, persil et 1 feuille de laurier dans une petite casserole; amener à ébullition et faire cuire 5 minutes à feu moyen.

Verser le liquide chaud sur le veau et les légumes. Laisser mariner 1 heure. Égoutter et réserver la marinade.

Sur des brochettes, enfiler, en alternant, bacon, veau, champignon, céleri, feuille de laurier et oignon. Placer les brochettes dans un plat allant au four.

Mettre au four, à 15 cm (6 po) de l'élément supérieur. Faire cuire à Gril (broil), 6 minutes de chaque côté en badigeonnant de temps en temps.

Placer veau, champignons, céleri et oignons dans un bol. Mettre de côté.

1

2

Verser la marinade chaude dans le bol. Laisser mariner le tout 1 heure.

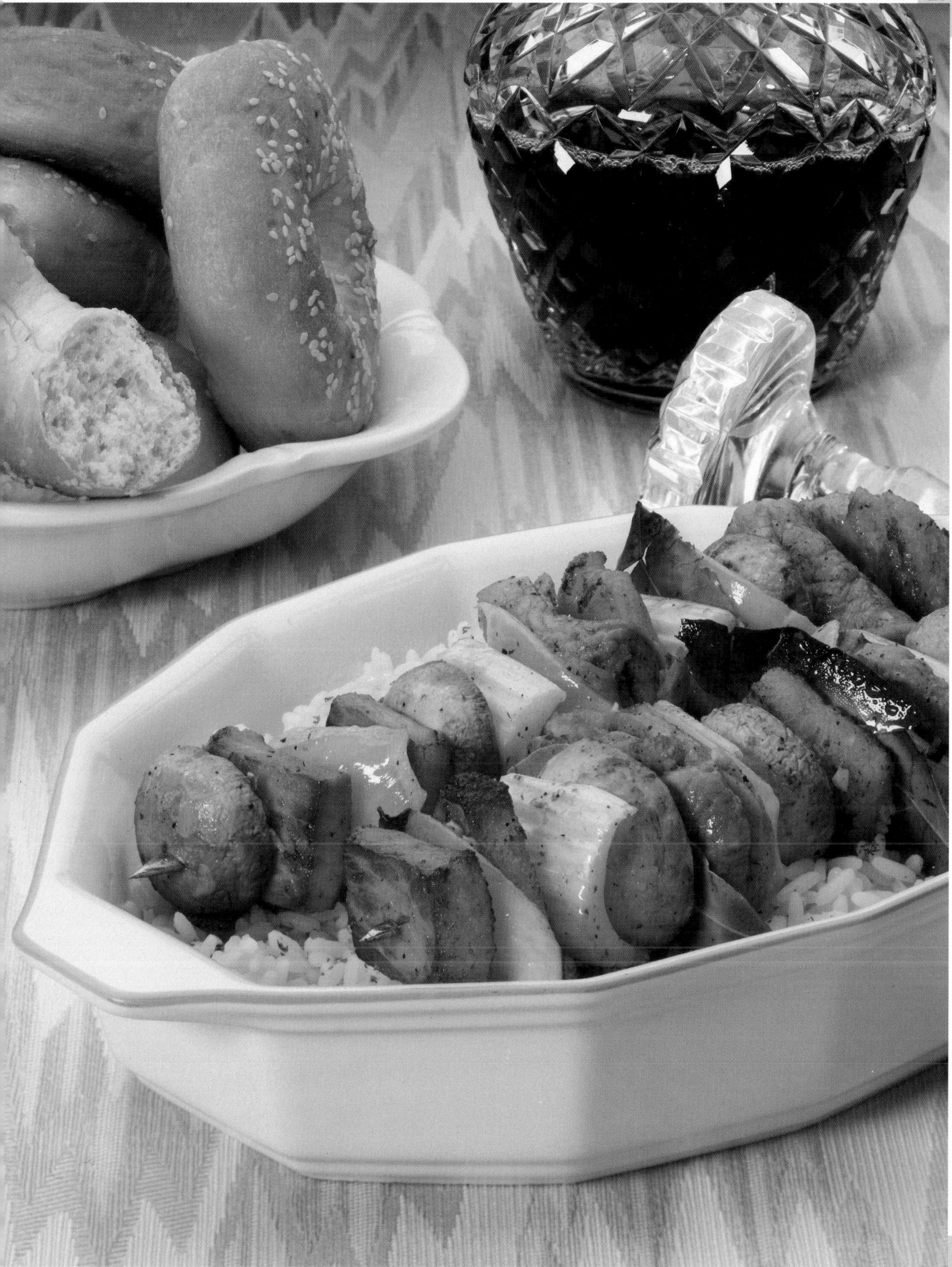

MOUTARDE A L'ANC
GRAIN MUSTAR

BOCQUET

Product of France

Ingrédients: Mustard seeds-Vinegar-Salt-Spices
Graines de Moutarde -Vinaigre dilué-Sel-Epi
POIDS NET: 500 G. — NET WEIGHT 1¼

Brochettes de veau au citron

(pour 4 personnes)

1 PORTION	265 CALORIES	11g GLUCIDES
17g PROTÉINES	17g LIPIDES	2,0g FIBRES

250 g	(½ livre) filet de veau, en tranches de 0,65 cm (¼ po) d'épaisseur
16	têtes de champignons, nettoyées
1	piment jaune, en cubes
50 ml	(¼ tasse) huile d'olive
50 ml	(¼ tasse) vinaigre de vin
15 ml	(1 c. à soupe) estragon frais haché
2	pieds de brocoli, en cubes et cuits
½	oignon rouge, en sections
	jus de citron

Mettre veau, champignons et piment dans un bol. Arroser d'huile, vinaigre, estragon et jus de citron. Réfrigérer 35 minutes.

Égoutter et réserver la marinade. Plier le veau en deux. Sur des brochettes, enfiler, en alternant, veau, champignon, piment, brocoli et oignon.

Placer les brochettes dans un plat allant au four et les badigeonner de marinade. Mettre au four à Gril (broil), à 15 cm (6 po) de l'élément supérieur. Faire griller 6 minutes de chaque côté.

Servir avec des pommes de terre au four ou d'autres légumes.

Mettre veau, champignons, piment, huile, vinaigre, estragon et jus de citron dans un bol. Réfrigérer 35 minutes.

Sur des brochettes, enfiler, en alternant, veau et légumes.

Brochettes de veau aux pruneaux

(pour 4 personnes)

1 PORTION	480 CALORIES	44g GLUCIDES
40g PROTÉINES	16g LIPIDES	8,8g FIBRES

750 ml	(1 ½ livre) surlonge de veau, en lanières
125 ml	(½ tasse) vin de riz
30 ml	(2 c. à soupe) huile
5 ml	(1 c. à thé) jus de citron
24	pruneaux dénoyautés
1 ½	piment vert, en cubes
24	morceaux de céleri blanchi, de 2 cm (¾ po)
12	feuilles de menthe fraîche
	une pincée de thym
	sel et poivre du moulin

Mettre veau, vin, huile, citron et thym dans un bol. Laisser mariner 15 minutes.

Égoutter la viande et réserver la marinade. Sur des brochettes, enfiler, en alternant, veau, pruneaux, piment, céleri et feuille de menthe. Placer les brochettes dans un plat allant au four et les badigeonner généreusement de marinade.

Placer au four à Gril (broil), à 15 cm (6 po) de l'élément supérieur. Faire cuire 5 minutes de chaque côté. Saler, poivrer durant la cuisson.

Boulettes de viande au chili

(pour 4 personnes)

1 PORTION	490 CALORIES	21g GLUCIDES
52g PROTÉINES	22g LIPIDES	0,5g FIBRES

375 g	(¾ livre) porc maigre haché
375 g	(¾ livre) veau maigre haché
30 ml	(2 c. à soupe) sauce chili
45 ml	(3 c. à soupe) chapelure
1 ml	(¼ c. à thé) chili en poudre
1	œuf
5 ml	(1 c. à thé) sauce Worcestershire
1 ml	(¼ c. à thé) paprika
125 ml	(½ tasse) sauce chili
125 ml	(½ tasse) ketchup
30 ml	(2 c. à soupe) huile
30 ml	(2 c. à soupe) sherry
	sel et poivre

Préchauffer le four à 200°C (400°F).

Mettre porc, veau, 30 ml (2 c. à soupe) sauce chili, chapelure, chili en poudre, œuf, sauce Worcestershire et paprika dans un mixeur. Bien mélanger jusqu'à ce que la viande forme une boule et adhère aux parois du bol.

Couvrir d'un papier ciré et réfrigérer 1 heure.

Avec les mains enfarinées, former des boulettes avec le mélange de viande. Enfiler les boulettes sur des brochettes et les placer dans un plat allant au four.

Mélanger le reste des ingrédients dans un bol. Badigeonner les brochettes du mélange.

Placer les brochettes au four, à 15 cm (6 po) de l'élément supérieur. Faire cuire à Gril (broil) 4 minutes de chaque côté en badigeonnant fréquemment.

Brochettes en fête

(pour 4 personnes)

1 PORTION	215 CALORIES	21g GLUCIDES
17g PROTÉINES	7g LIPIDES	1,1g FIBRES

50 ml	(¼ tasse) mélasse
50 ml	(¼ tasse) vinaigre
15 ml	(1 c. à soupe) pâte de tomates
3	filets d'anchois, hachés et écrasés
1	gros filet de porc, tranché épais
2	grosses branches de céleri, en morceaux de 2,5 cm (1 po)
1	gros piment vert, en petits cubes
1	orange sans pépins
	jus de ½ citron
	jus de l'orange

Préchauffer le four à 260°C (500°F).

Mélanger mélasse, vinaigre et pâte de tomates dans un grand bol. Ajouter jus de citron, jus d'orange et anchois. Bien incorporer.

Mettre porc, céleri et piment dans la marinade; laisser mariner 1 heure.

Couper l'orange non pelée, en tranches de 0,65 cm (¼ po) d'épaisseur.

Sur des brochettes, enfiler 2 tranches en alternant avec les autres ingrédients.

Placer les brochettes dans un plat allant au four. Faire cuire 7 minutes de chaque côté.

1 Mélanger mélasse, vinaigre et pâte de tomates dans un grand bol. Ajouter jus de citron et anchois; bien incorporer.

2 Mettre porc, céleri et piment dans la marinade. Laisser mariner 1 heure.

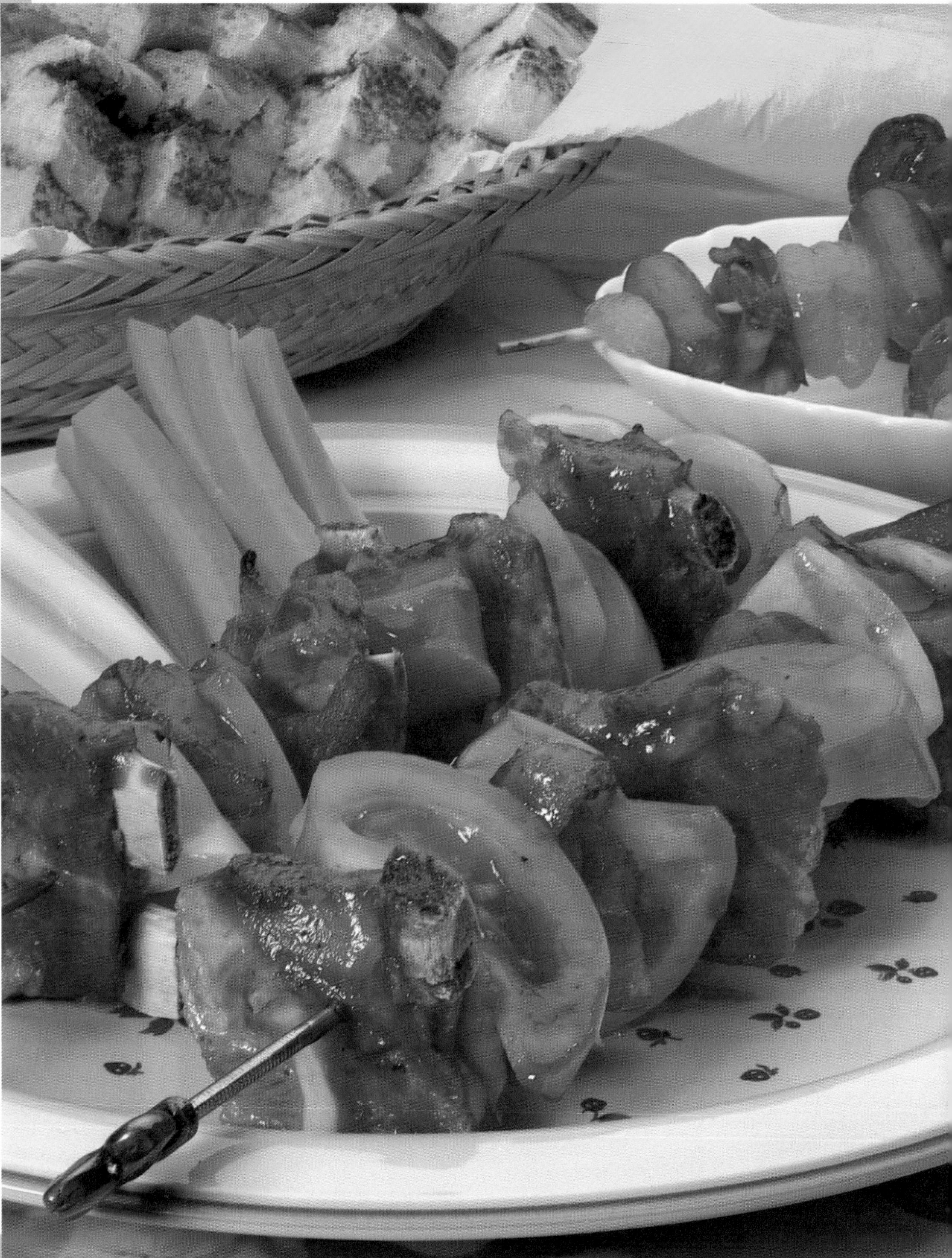

Côtes levées aux tomates

(pour 4 personnes)

1 PORTION	383 CALORIES	16g GLUCIDES
19g PROTÉINES	27g LIPIDES	0,9g FIBRES

1,2 kg	(2 ½ livres) côtes levées de porc
45 ml	(3 c. à soupe) sirop d'érable
50 ml	(¼ tasse) ketchup
2	gousses d'ail, écrasées et hachées
1	gros piment jaune, en cubes
6	tranches de bacon précuit, coupées en deux et roulées
1	tomate, coupée en fines sections
	jus de ½ citron
	quelques gouttes de sauce Tabasco
	sel et poivre

Mettre les côtes levées dans une grande casserole et les recouvrir d'eau; amener à ébullition. Écumer et continuer la cuisson 1 heure à feu moyen.

Retirer les côtes de l'eau et laisser refroidir. Couper les côtes en morceaux de 2,5 cm (1 po).

Mettre sirop d'érable, ketchup, ail, jus de citron et sauce Tabasco dans un bol. Saler, poivrer. Ajouter les côtes de porc, mélanger et laisser mariner 15 minutes.

Sur des brochettes, enfiler, en alternant, côte de porc, piment, bacon roulé et tomate. Placer les brochettes dans un plat allant au four.

Mettre au four, à 15 cm (6 po) de l'élément supérieur. Faire cuire à Gril (broil) 4 minutes de chaque côté. Badigeonner du mélange de ketchup.

Après 1 heure de cuisson, retirer les côtes levées de l'eau et les laisser refroidir. Couper en morceaux de 2,5 cm (1 po).

Sur des brochettes, enfiler, en alternant, côte levée, piment, bacon roulé, et tomate.

Brochettes de porc aux légumes

(pour 4 personnes)

1 PORTION	224 CALORIES	12g GLUCIDES
17g PROTÉINES	12g LIPIDES	1,6g FIBRES

142 g	(5 oz) saucisson polonais : en rondelles de 4 cm (1 ½ po) d'épaisseur
1	filet de porc, dégraissé
1	petite courgette, en tranches de 1,2 cm (½ po) d'épaisseur
1	piment jaune, en gros dés
8	oignons verts, en bâtonnets de 4 cm (1 4½ po) de longueur
1 ml	(¼ c. à thé) sauce Worcestershire
125 ml	(½ tasse) ketchup
5 ml	(1 c. à thé) raifort
	quelques gouttes de sauce Tabasco
	sel et poivre

Préchauffer le four à 260°C (500°F).

Retirer la peau des tranches de saucisson. Couper le porc en cubes. Mettre saucisson et porc dans un bol. Ajouter courgette, piment et oignons verts.

Ajouter sauce Worcestershire, ketchup, raifort et sauce Tabasco. Saler, poivrer. Mélanger pour bien enrober tous les ingrédients. Laisser mariner 15 minutes.

Sur des brochettes, enfiler, en alternant, viande et légumes et placer les brochettes dans un plat allant au four.

Faire cuire au four, à 15 cm (6 po) de l'élément supérieur, pendant 15 minutes. Retourner les brochettes deux fois durant la cuisson.

Si désiré, servir avec des pommes de terre sautées.

Préparer les ingrédients tel qu'indiqué dans la recette. Mettre le tout dans un bol.

Ajouter sauce Worcestershire, ketchup, raifort et sauce Tabasco. Saler, poivrer. Mélanger pour bien enrober les ingrédients. Laisser mariner 15 minutes.

Porc et sauce aigre-douce

(pour 4 personnes)

1 PORTION	388 CALORIES	27g GLUCIDES
34g PROTÉINES	16g LIPIDES	2,8g FIBRES

15 ml	(1 c. à soupe) huile végétale
1	gousse d'ail, écrasée et hachée
1	petit oignon, émincé
1	petite carotte, émincée
2	rondelles d'ananas, en cubes
30 ml	(2 c. à soupe) sauce soya
30 ml	(2 c. à soupe) vinaigre de vin
15 ml	(1 c. à soupe) sucre
45 ml	(3 c. à soupe) ketchup
250 ml	(1 tasse) bouillon de poulet chaud
15 ml	(1 c. à soupe) fécule de maïs
45 ml	(3 c. à soupe) eau froide
500 g	(1 livre) filet de porc, coupé en grosses lanières
16	carottes naines, blanchies
1 ½	piment jaune, en gros dés
	sel et poivre

Préparation de la sauce: faire chauffer l'huile dans une poêle à frire. Ajouter ail, oignon et carotte émincée; faire cuire 3 minutes à feu moyen.

Incorporer ananas, sauce soya et vinaigre; faire cuire 2 minutes.

Ajouter sucre et ketchup; bien remuer. Ajouter le bouillon de poulet; assaisonner et amener à ébullition.

Délayer fécule et eau froide. Incorporer le mélange à la sauce; faire chauffer 2 minutes. Retirer du feu.

Plier les lanières de porc en deux. Sur des brochettes, enfiler, en alternant, porc, carotte naine et piment. Saler, poivrer et placer le tout dans un plat allant au four.

Badigeonner généreusement les brochettes de sauce. Placer au four à Gril (broil), à 15 cm (6 po) de l'élément supérieur. Faire griller 4 à 5 minutes de chaque côté. Badigeonner fréquemment.

Brochettes de jambon aux pommes

(pour 4 personnes)

1 PORTION	355 CALORIES	37g GLUCIDES
36g PROTÉINES	7g LIPIDES	2,5g FIBRES

2	tranches de jambon de Virginie, de 2 cm (¾ po) d'épaisseur et coupées en cubes
3	pommes non pelées, en sections
45 ml	(3 c. à soupe) sirop d'érable
10 ml	(2 c. à thé) sauce soya
125 ml	(½ tasse) ketchup
50 ml	(¼ tasse) jus de pomme
	une pincée de cannelle
	une pincée de clou de girofle

Bien mélanger tous les ingrédients dans un bol et laisser mariner 15 minutes.

Égoutter et réserver la marinade. Sur des brochettes, enfiler, en alternant, jambon et pommes. Placer les brochettes dans un plat allant au four.

Mettre le plat au four, à 15 cm (6 po) de l'élément supérieur. Faire griller à Gril (broil), 4 à 5 minutes de chaque côté, tout en badigeonnant de marinade.

Délicieux pour le brunch!

Feuilles de chou farcies

(pour 4 personnes)

1 PORTION	334 CALORIES	5g GLUCIDES
38g PROTÉINES	18g LIPIDES	0,6g FIBRES

15 ml	(1 c. à soupe) beurre
250 g	(½ livre) porc maigre haché
250 g	(½ livre) veau maigre haché
1 ml	(¼ c. à thé) paprika
1 ml	(¼ c. à thé) clou de girofle moulu
125 ml	(½ tasse) fromage cheddar râpé
125 ml	(½ tasse) oignon haché cuit
15 ml	(1 c. à soupe) persil frais haché
15 ml	(1 c. à soupe) crème sure
1	œuf, légèrement battu
8	grandes feuilles de chou, blanchies
	sel et poivre

Faire chauffer le beurre dans une poêle à frire. Ajouter porc et veau; faire brunir 4 à 5 minutes à feu moyen. Saupoudrer de paprika et de clou.

Transférer la viande dans un bol et ajouter le reste des ingrédients à l'exception des feuilles de chou. Bien incorporer les ingrédients, couvrir et réfrigérer 1 heure.

Étendre les feuilles de chou à plat et étendre 45 ml (3 c. à soupe) de farce sur chaque feuille. Rouler très serré et replier les extrémités. Placer les rouleaux sur une assiette et les recouvrir d'une seconde assiette pour les aplatir. Réfrigérer 15 minutes.

Couper chaque rouleau en 3 morceaux et très délicatement les enfiler sur des brochettes. Placer au four, à 15 cm (6 po) de l'élément supérieur et faire cuire à Gril (broil), 3 à 4 minutes de chaque côté.

Une sauce tomate accompagne bien ces brochettes.

Brochettes à l'italienne

(pour 4 personnes)

1 PORTION	611 CALORIES	17g GLUCIDES
39g PROTÉINES	43g LIPIDES	1,3g FIBRES

500 g	(1 livre) pointe de surlonge, en petits cubes
500 g	(1 livre) saucisse italienne, coupée en morceaux de 2 cm (¾ po) d'épaisseur
2	oignons, en sections
1 ½	piment rouge, en petits cubes
8	gousses d'ail, pelées
125 ml	(½ tasse) huile d'olive
50 ml	(¼ tasse) sauce chili
	jus de 1 citron
	poivre du moulin
	une pincée de paprika

Sur des brochettes, enfiler, en alternant, bœuf, saucisse, oignon, piment et ail. Placer les brochettes dans un plat allant au four.

Mélanger huile, sauce chili, jus de citron, poivre et paprika dans un bol. Badigeonner les brochettes.

Placer les brochettes au four à Gril (broil), à 15 cm (6 po) de l'élément supérieur. Faire griller 6 minutes de chaque côté.

Servir avec un riz épicé.

Saucisson polonais et bacon en brochettes

(pour 4 personnes)

1 PORTION	169 CALORIES	10g GLUCIDES
12g PROTÉINES	9g LIPIDES	0,8g FIBRES

2	tranches de bacon de dos de 2 cm (¾ po) d'épaisseur, coupées en gros dés
½	oignon rouge, coupé en 3
115 g	(4 oz) saucisson polonais, pelé et coupé en gros dés
½	concombre, pelé, épépiné et coupé en tranches de 2 cm (¾ po)
125 ml	(½ tasse) ketchup
15 ml	(1 c. à soupe) raifort
	jus de 1 limette
	quelques gouttes de sauce Tabasco
	poivre

Préchauffer le four à 260°C (500°F).

Sur des brochettes, enfiler, en alternant, bacon, oignon, saucisson et concombre. Placer les brochettes dans un plat allant au four.

Mélanger le reste des ingrédients et badigeonner les brochettes.

Placer au four, à 20 cm (8 po) de l'élément supérieur. Faire cuire 7 minutes de chaque côté. Badigeonner du mélange de ketchup, si désiré.

Saucisses cocktail en brochettes

(pour 4 personnes)

1 PORTION	320 CALORIES	7g GLUCIDES
10g PROTÉINES	28g LIPIDES	0,5g FIBRES

8	tranches de bacon précuit 2 minutes
230 g	(8 oz) saucisses cocktail en conserve
284 ml	(10 oz) sections de mandarines en conserve, égouttées
	sauce barbecue pour badigeonner

Couper les tranches de bacon en deux et les rouler. Sur de fines brochettes en bois, enfiler, en alternant, bacon, saucisse et mandarine.

Placer les brochettes dans un plat allant au four et les badigeonner de sauce barbecue. Faire cuire au four à Gril (broil), à 15 cm (6 po) de l'élément supérieur, pendant 5 minutes.

Servir comme amuse-gueule ou casse-croûte.

Brochettes d'agneau à la menthe

(pour 4 personnes)

1 PORTION	266 CALORIES	10g GLUCIDES
16g PROTÉINES	18g LIPIDES	0,4g FIBRES

125 ml	(½ tasse) sauce à la menthe
15 ml	(1 c. à soupe) huile d'olive
2	gousses d'ail, écrasées et hachées
8	petites côtelettes d'agneau, 1,2 cm (½ po) d'épaisseur, désossées et dégraissées
2	petits oignons, en sections
10	feuilles de laurier
1 ½	branche de céleri blanchi, coupée en morceaux de 2,5 cm (1 po)
	sel et poivre
	jus de ¼ citron

Préchauffer le four à 200°C (400°F).

Mettre sauce à la menthe, huile, ail, poivre et jus de citron dans un bol. Ajouter l'agneau et bien mélanger. Laisser mariner 15 minutes.

Sur des brochettes, enfiler, en alternant, agneau, oignon, feuille de laurier et céleri. Assaisonner généreusement. Placer dans un plat allant au four.

Régler le four à Gril (broil). Placer les brochettes à 15 cm (6 po) de l'élément supérieur; faire cuire 3 minutes tout en laissant la porte du four entrouverte. Badigeonner les brochettes de temps en temps.

Brochettes d'agneau au romarin

(pour 4 personnes)

1 PORTION	733 CALORIES	20g GLUCIDES
44g PROTÉINES	53g LIPIDES	2,9g FIBRES

900 g	(2 livres) gigot d'agneau désossé, en cubes de 2 cm (¼ po)
2	oignons, finement hachés
15 ml	(1 c. à soupe) romarin broyé
125 ml	(½ tasse) huile d'olive
2	feuilles de laurier
1	gros oignon d'Espagne, en sections
15 ml	(1 c. à soupe) huile d'olive
2	gousses d'ail, écrasées et hachées
3	tomates pelées et hachées
4	tranches de pain italien, grillées
50 ml	(¼ tasse) fromage parmesan râpé
	sel et poivre

Mettre agneau, oignons hachés, romarin, 125 ml (½ tasse) d'huile et feuilles de laurier dans un bol; mélanger et laisser mariner 1 heure.

Sur des brochettes, enfiler, en alternant, agneau et oignon d'Espagne. Placer dans un plat allant au four. Mettre de côté.

Faire chauffer le reste de l'huile dans une poêle à frire. Ajouter ail et tomates; faire cuire 7 à 9 minutes à feu moyen. Saler, poivrer. Réduire la chaleur et laisser mijoter.

Mettre les brochettes au four, à 15 cm (6 po) de l'élément supérieur. Faire cuire à Gril (broil) 5 à 6 minutes.

Étendre le mélange de tomates sur le pain grillé et couronner de fromage. Placer le tout dans un plat allant au four.

Retourner les brochettes et continuer la cuisson de 5 à 6 minutes. Simultanément, placer le pain à côté des brochettes et le faire griller au plus 3 à 4 minutes.

Pour servir, placer une brochette sur chaque tranche de pain.

Brochettes de saumon aux concombres

(pour 4 personnes)

1 PORTION	171 CALORIES	1g GLUCIDES
26g PROTÉINES	7g LIPIDES	0,6g FIBRES

30 ml	(2 c. à soupe) zeste de citron râpé
125 ml	(½ tasse) vin blanc sec
5 ml	(1 c. à thé) estragon
3	steaks de saumon
½	concombre anglais, pelé et coupé en gros dés
8	feuilles de menthe fraîche
	jus de 1 citron
	sel et poivre

Mélanger zeste de citron, vin, estragon et jus de citron dans un grand bol.

Retirer l'os central des steaks de saumon. Couper le saumon en deux avec la peau. Recouper chaque morceau en trois. Placer le saumon dans le bol; laisser mariner 15 minutes.

Égoutter et réserver la marinade.

Sur des brochettes, enfiler, en alternant, saumon, concombre et feuille de menthe. Placer les brochettes dans un plat allant au four. Saler, poivrer.

Placer au four à Gril (broil), à 15 cm (4 po) de l'élément supérieur et faire cuire 4 minutes. Badigeonner 1 fois de marinade.

Retourner les brochettes et continuer la cuisson 3 minutes ou au goût. Badigeonner de nouveau.

Perche
en brochettes

(pour 4 personnes)

1 PORTION	392 CALORIES	8g GLUCIDES
45g PROTÉINES	20g LIPIDES	1,1g FIBRES

2	gousses d'ail, écrasées et hachées
15 ml	(1 c. à soupe) sauce aux huîtres
900 g	(2 livres) filets de perche, tranchés en 2 et coupés en morceaux de 2,5 cm (1 po)
8	tomates naines
4	petits oignons blancs blanchis et coupés en 4
45 ml	(3 c. à soupe) huile d'olive
30 ml	(2 c. à soupe) sherry
	jus de 1 citron
	sel et poivre

Préchauffer le four à 200°C (400°F).

Mélanger ail, sauce aux huîtres et jus de citron dans un bol. Ajouter le poisson et laisser mariner 15 minutes.

Rouler les morceaux de poisson et les enfiler sur des brochettes, en alternant avec tomate et oignon. Placer les brochettes dans un plat allant au four.

Mélanger huile et sherry. Badigeonner les brochettes du mélange. Assaisonner au goût.

Régler le four à Gril (broil). Placer les brochettes à 15 cm (6 po) de l'élément supérieur et faire cuire 3 minutes de chaque côté.

1 Mélanger ail, sauce aux huîtres et jus de citron dans un bol.

2 Ajouter le poisson; laisser mariner 15 minutes.

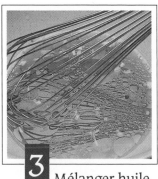

3 Mélanger huile et sherry.

4 Avant la cuisson, badigeonner les brochettes du mélange de sherry

Esturgeon, choux
de Bruxelles
et carottes

(pour 4 personnes)

1 PORTION	254 CALORIES	18g GLUCIDES
23g PROTÉINES	10g LIPIDES	4,8g FIBRES

2	steaks d'esturgeon, de 2 cm (¾ po) d'épaisseur, coupés en cubes
24	choux de Bruxelles cuits
24	carottes naines cuites
125 ml	(½ tasse) saké
30 ml	(2 c. à soupe) huile
1	gousse d'ail, écrasée et hachée
8	champignons chinois
	sel et poivre

Mettre poisson, choux de Bruxelles, carottes, saké, huile et ail dans un bol. Saler, poivrer; laisser mariner 15 minutes.

Égoutter et réserver la marinade. Sur des brochettes, enfiler, en alternant, poisson et légumes. Note: Il est préférable de plier les champignons en deux.

Placer les brochettes dans un plat allant au four. Faire cuire à Gril (broil), à 15 cm (6 po) de l'élément supérieur, de 4 à 5 minutes de chaque côté. Badigeonner de temps en temps de marinade.

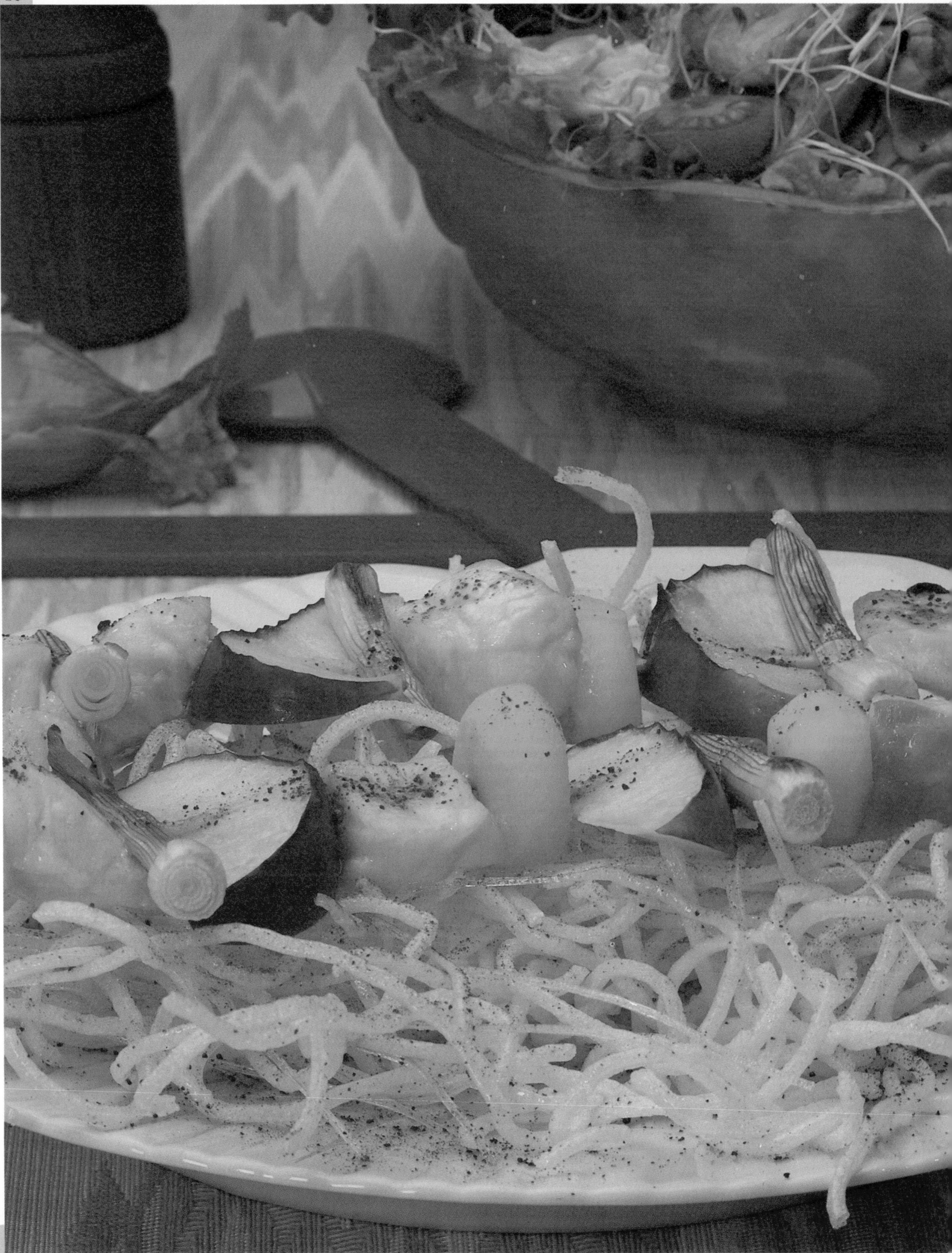

Brochettes pour amateur de poisson

(pour 4 personnes)

1 PORTION	385 CALORIES	10g GLUCIDES
48g PROTÉINES	17g LIPIDES	1,0g FIBRES

900 g	(2 livres) steaks de flétan, 2 cm (¾ po) d'épaisseur
1	oignon, finement haché
60 ml	(4 c. à soupe) huile
30 ml	(2 c. à soupe) jus de limette
1 ml	(¼ c. à thé) sauce Tabasco
50 ml	(¼ tasse) vin blanc sec
6	oignons verts, en bâtonnets de 2,5 cm (1 po)
199 ml	(7 oz) châtaignes d'eau, en conserve
12	tranches de limette
12	sections de pommes non pelées

Faire mariner flétan, oignon, huile, jus de limette, Tabasco et vin pendant 15 minutes.

Égoutter et réserver la marinade.

Sur des brochettes, enfiler, en alternant, poisson, oignon vert, châtaigne d'eau, limette et pomme. Placer les brochettes dans un plat allant au four.

Placer au four à Gril (broil), à 15 cm (6 po) de l'élément supérieur et faire griller 4 à 5 minutes de chaque côté. Badigeonner de temps en temps pendant la cuisson.

Brochettes de palourdes

(pour 4 personnes)

1 PORTION	406 CALORIES	33g GLUCIDES
28g PROTÉINES	18g LIPIDES	0,2g FIBRES

24	grosses palourdes, nettoyées
5 ml	(1 c. à thé) jus de citron
15 ml	(1 c. à soupe) sauce teriyaki
250 ml	(1 tasse) farine assaisonnée
2	œufs battus
375 ml	(1 ½ tasse) céréales Corn Flakes
	beurre à l'ail fondu
	poivre

Préchauffer le four à 240°C (450°F).

Étendre toutes les palourdes dans le fond d'un plat à rôtir. Faire cuire au four de 4 à 5 minutes ou jusqu'à ce qu'elles s'ouvrent.

Retirer les palourdes de leur coquille. Jeter les coquilles. Mettre les palourdes dans un bol. Ajouter jus de citron et sauce teriyaki; bien mélanger et poivrer.

Enfariner les palourdes, les tremper dans les œufs et les enrober de céréales. Enfiler deux fois chaque palourde sur des brochettes et les placer dans un plat allant au four.

Régler le four à Gril (broil). Badigeonner les brochettes de beurre à l'ail. Faire griller, à 15 cm (6 po) de l'élément supérieur, 3 minutes de chaque côté. Badigeonner durant la cuisson et laisser la porte du four entrouverte.

Brochettes d'huîtres

(pour 4 personnes)

1 PORTION	681 CALORIES	50g GLUCIDES
55g PROTÉINES	29g LIPIDES	0g FIBRES

36	grosses huîtres fraîches
8	tranches de bacon cuit, coupées en deux
250 ml	(1 tasse) farine
1 ml	(¼ c. à thé) paprika
5 ml	(1 c. à thé) persil frais haché
60 ml	(4 c. à soupe) beurre fondu
1 ml	(¼ c. à thé) sauce teriyaki
	sel
	jus de 1 citron

Préchauffer le four à 200°C (400°F).

Sur des brochettes, enfiler, en alternant, huîtres et bacon roulé.

Mélanger farine, paprika et persil. Rouler les brochettes dans le mélange et les placer dans un plat allant au four.

Mélanger beurre, sauce teriyaki, sel et jus de citron. Verser sur les brochettes. Régler le four à Gril (broil) et faire cuire les brochettes, à 15 cm (6 po) de l'élément supérieur, 3 minutes de chaque côté.

Servir avec du pain à l'ail.

Crevettes géantes au brandy

(pour 4 personnes)

1 PORTION	164 CALORIES	6g GLUCIDES
17g PROTÉINES	8g LIPIDES	0,8g FIBRES

20	crevettes géantes, décortiquées et sans veine
2	gousses d'ail, écrasées et hachées
125 ml	(½ tasse) brandy
30 ml	(2 c. à soupe) huile d'olive
4	feuilles de bok choy, en morceaux de 2 cm (¾ po)
	jus de 1 citron
	sel et poivre

Mettre tous les ingrédients dans un bol et laisser mariner 30 minutes.

Sur des brochettes, enfiler, en alternant, crevette et bok choy. Placer les brochettes dans un plat allant au four.

Placer au four, à 15 cm (6 po) de l'élément supérieur. Faire cuire à Gril (broil) de 6 à 7 minutes de chaque côté. Assaisonner et badigeonner de marinade pendant la cuisson.

Servir avec une sauce tartare.

Moules panées

(pour 4 personnes)

1 PORTION	610 CALORIES	60g GLUCIDES
43g PROTÉINES	22g LIPIDES	0,2g FIBRES

3 kg	(6 ½ livres) moules, brossées et nettoyées
125 ml	(½ tasse) vin blanc sec
60 ml	(4 c. à soupe) beurre
15 ml	(1 c. à soupe) jus de citron
250 ml	(1 tasse) farine assaisonnée
2	œufs battus
500 ml	(2 tasses) chapelure
	quelques gouttes de sauce Tabasco
	quelques gouttes de jus de citron
	sel et poivre

Mettre moules, vin, 30 ml (2 c. à soupe) de beurre et jus de citron dans une casserole. Poivrer; couvrir et amener à ébullition. Continuer la cuisson à feu moyen jusqu'à ce que les moules s'ouvrent.

Verser le liquide de cuisson dans un petit bol. Retirer les moules de leur coquille et verser le jus qui s'y trouve dans le bol. Mettre de côté.

Enfariner les moules, les tremper dans les œufs battus et les enrober de chapelure.

Enfiler les moules sur de fines brochettes en bois et les placer dans un plat allant au four. Faire griller au four à Gril (broil), 2 minutes de chaque côté.

Entre-temps, verser le liquide de cuisson dans une petite casserole pour préparer la sauce. Faire réduire des ⅔ à feu moyen-vif.

Incorporer le reste du beurre, sauce Tabasco et jus de citron; faire chauffer 1 minute.

Servir avec les brochettes.

Brochettes à la chinoise

(pour 4 personnes)

1 PORTION	237 CALORIES	21g GLUCIDES
27g PROTÉINES	5g LIPIDES	--g FIBRES

16	cubes d'ananas frais
900 g	(2 livres) crevettes, décortiquées et sans veine
24	cosses de pois blanchies
125 ml	(½ tasse) vin de riz
30 ml	(2 c. à soupe) sauce sésame
15 ml	(1 c. à soupe) huile
5 ml	(1 c. à thé) jus de limette
	sel et poivre

Préchauffer le four à 200°C (400°F).

Mettre ananas, crevettes, cosses de pois, vin et sauce sésame dans un bol; laisser mariner 15 minutes.

Sur des brochettes, enfiler, en alternant, tous les ingrédients marinés. Placer les brochettes dans un plat allant au four.

Mélanger huile et jus de limette; mettre de côté.

Placer les brochettes au four, à 15 cm (6 po) de l'élément supérieur et faire cuire 6 à 8 minutes. Badigeonner du mélange d'huile et retourner les brochettes 1 fois pendant la cuisson. Saler, poivrer.

Servir avec un riz vapeur et des baguettes chinoises.

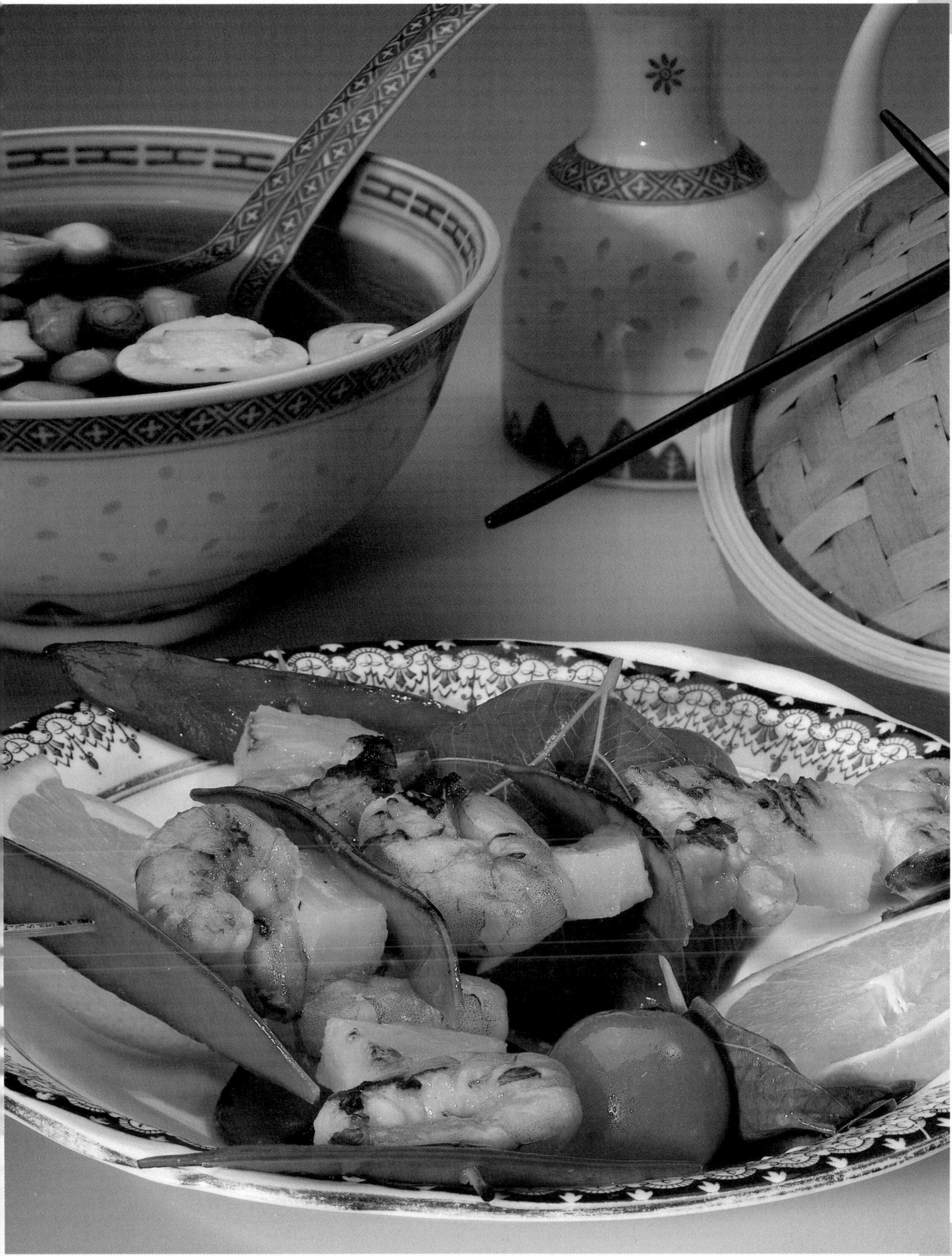

Amuse-gueule aux escargots

(pour 4 personnes)

1 PORTION	462 CALORIES	20g GLUCIDES
19g PROTÉINES	34g LIPIDES	0,2g FIBRES

24	escargots en conserve, égouttés
8	tranches de bacon précuit, en morceaux de 5 cm (2 po)
16	petits oignons cuits
125 ml	(½ tasse) beurre à l'ail fondu
375 ml	(1½ tasse) chapelure assaisonnée

Sur des petites brochettes, enfiler, en alternant, escargot, bacon roulé, et oignon. Placer les brochettes dans un plat allant au four et les badigeonner généreusement de beurre à l'ail.

Rouler les brochettes dans la chapelure. Faire cuire au four à Gril (broil), à 10 cm (4 po) de l'élément supérieur, 2 à 3 minutes de chaque côté.

Servir avec du beurre à l'ail et des quartiers de citron.

Pétoncles et persil frit

(pour 4 personnes)

1 PORTION	434 CALORIES	10g GLUCIDES
31g PROTÉINES	30g LIPIDES	0,8g FIBRES

125 ml	(½ tasse) huile d'olive
45 ml	(3 c. à soupe) vinaigre de vin
2 ml	(½ c. à thé) romarin moulu
30 ml	(2 c. à soupe) jus de citron
750 g	(1½ livre) gros pétoncles
12	feuilles de laurier
1	gros citron, épépiné et tranché
1	botte de persil frais lavé poivre du moulin

Réserver 45 ml (3 c. à soupe) d'huile. Dans un bol, mettre le reste de l'huile. Ajouter vinaigre, romarin, jus de citron et pétoncles. Poivrer et laisser mariner 1 heure.

Égoutter les pétoncles et mettre la marinade de côté.

Sur des brochettes, enfiler, en alternant, pétoncle, feuille de laurier et tranche de citron. Placer le tout dans un plat allant au four.

Mettre au four à Gril (broil), à 15 cm (6 po) de l'élément supérieur et faire cuire 3 minutes de chaque côté. Badigeonner de temps en temps de marinade.

Entre-temps, faire chauffer l'huile réservée dans une poêle à frire. Ajouter la botte de persil et faire sauter 2 minutes.

Servir avec les brochettes.

Têtes de champignons farcies

(pour 4 personnes)

1 PORTION	552 CALORIES	43g GLUCIDES
32g PROTÉINES	28g LIPIDES	1,3g FIBRES

500 g	(1 livre) fromage ricotta
125 g	(¼ livre) fromage mozzarella râpé
15 ml	(1 c. à soupe) persil frais haché
1 ml	(¼ c. à thé) basilic
32	têtes de champignons frais, blanchies
2	œufs battus
500 ml	(2 tasses) chapelure assaisonnée
	une pincée de paprika
	sel et poivre
	sauce Tabasco au goût

Bien mélanger fromage, persil, basilic et paprika. Saler, poivrer et assaisonner de Tabasco.

Farcir les têtes de champignons. Presser deux champignons ensemble (pour garder la farce en place). Enfiler 4 double champignons sur chaque brochette.

Rouler les brochettes dans les œufs battus et les enrober de chapelure. Placer le tout dans un plat allant au four. Mettre au four, à 15 cm (6 po) de l'élément supérieur, et faire griller 3 minutes de chaque côté.

Servir comme amuse-gueule ou garniture de légumes.

Garniture de champignons

(pour 4 personnes)

1 PORTION	208 CALORIES	10g GLUCIDES
24g PROTÉINES	8g LIPIDES	1,0g FIBRES

15 ml	(1 c. à soupe) beurre
1	oignon, finement haché
250 g	(½ livre) bœuf maigre haché
15 ml	(1 c. à soupe) persil frais haché
50 ml	(¼ tasse) fromage gruyère râpé
16	grosses têtes de champignons frais, blanchies 3 minutes
45 ml	(3 c. à soupe) chapelure assaisonnée
	sel et poivre

Faire chauffer le beurre dans une sauteuse. Ajouter l'oignon; faire cuire 2 à 3 minutes à feu moyen-doux.

Ajouter bœuf et persil. Assaisonner au goût. Continuer la cuisson 3 à 4 minutes.

Incorporer le fromage et faire cuire 1 minute. Retirer du feu. Farcir les champignons.

Enfiler les champignons (la farce vers le haut) sur des brochettes. Placer les brochettes dans un plat allant au four. Saupoudrer la farce de chapelure.

Déposer le plat au four, à 15 cm (6 po) de l'élément supérieur. Faire griller de 3 à 4 minutes. Ne pas retourner les brochettes!

Servir comme garniture de légumes.

Assortiment de piments en brochettes

(pour 4 personnes)

1 PORTION	155 CALORIES	12g GLUCIDES
2g PROTÉINES	11g LIPIDES	2,1g FIBRES

60 ml	(4 c. à soupe) huile d'olive
1 ml	(¼ c. à thé) sauce Tabasco
2 ml	(½ c. à thé) jus de citron
2	gousses d'ail, écrasées et finement hachées
2	piments verts, coupés en deux et épépinés
2	piments jaunes, coupés en deux et épépinés
2	piments rouges, coupés en deux et épépinés
	poivre du moulin

Préchauffer le four à 240°C (450°F).

Mélanger huile, Tabasco, jus de citron, ail et poivre. Placer les piments dans un plat allant au four et les arroser du mélange.

Faire cuire 10 minutes au milieu du four.

Retirer du four et laisser refroidir légèrement.

Couper chaque demi-piment en trois. Sur des brochettes, enfiler les morceaux de piments en alternant les couleurs. Placer au four, à 15 cm (6 po) de l'élément supérieur, et faire cuire 3 minutes de chaque côté.

Servir.

Brochettes d'aubergine et de bacon

(pour 4 personnes)

1 PORTION	88 CALORIES	9g GLUCIDES
4g PROTÉINES	4g LIPIDES	0,8g FIBRES

2	tranches d'aubergine, 2 cm (¾ po) d'épaisseur
1	tranche de bacon de dos, 2 cm (¾ po) d'épaisseur
8	morceaux d'oignon rouge
8	tomates naines
1 ml	(¼ c. à thé) sauce Worcestershire
15 ml	(1 c. à soupe) huile
45 ml	(3 c. à soupe) sauce aux prunes
	sel et poivre

Couper aubergine et bacon en cubes de 1,2 cm (½ po). Sur des brochettes fines en bois, enfiler, en alternant, aubergine, bacon, oignon et tomate.

Placer les brochettes dans un plat allant au four. Assaisonner généreusement. Arroser de sauce Worcestershire, huile et sauce aux prunes.

Placer au four, à 15 cm (6 po) de l'élément supérieur. Faire griller 5 minutes de chaque côté.

Couper aubergine et bacon en cubes de 1,2 cm (½ po).

Sur des brochettes fines en bois, enfiler, en alternant, aubergine, bacon, oignon et tomate. Placer les brochettes dans un plat allant au four. Assaisonner généreusement. Arroser de sauce Worcestershire, huile et sauce aux prunes.

Pommes de terre nouvelles

(pour 4 personnes)

1 PORTION	548 CALORIES	34g GLUCIDES
22g PROTÉINES	36g LIPIDES	7,1g FIBRES

24	petites pommes de terre nouvelles, cuites avec la pelure
24	tranches de bacon moyennement cuit
250 ml	(1 tasse) fromage cheddar finement râpé
	une pincée de paprika
	poivre du moulin

Enrouler une tranche de bacon autour de chaque pomme de terre et les enfiler sur des brochettes. Placer le tout dans un plat allant au four.

Mettre au four à 15 cm (6 po) de l'élément supérieur et faire griller 3 minutes. Retourner les brochettes. Parsemer de fromage et saupoudrer de paprika et poivre. Faire griller 3 minutes.

Servir avec viande ou poisson.

Brochettes de légumes variés

(pour 4 personnes)

1 PORTION	74 CALORIES	12g GLUCIDES
2g PROTÉINES	2g LIPIDES	2,1g FIBRES

2	piments rouges, en cubes
1	courgette, coupée en deux et tranchée épais
1	oignon rouge, en sections
30 ml	(2 c. à soupe) sauce soya
5 ml	(1 c. à thé) sauce Worcestershire
5 ml	(1 c. à thé) huile
2	gousses d'ail, écrasées et hachées
2 ml	(½ c. à thé) estragon
125 ml	(½ tasse) sauce barbecue

Préchauffer le four à 240°C (450°F).

Mettre les légumes dans un bol. Ajouter sauce soya, Worcestershire, huile, ail et estragon. Laisser mariner 30 minutes à la température de la pièce.

Égoutter les légumes et réserver la marinade.

Sur des brochettes, enfiler, en alternant, les légumes. Placer les brochettes dans un plat allant au four et les badigeonner de sauce barbecue.

Placer les brochettes au four, à 10 cm (4 po) de l'élément supérieur. Faire griller 8 minutes tout en badigeonnant et retournant les brochettes fréquemment.

Servir avec une sauce barbecue.

1 Mettre piments rouges, courgette et oignon dans un bol.

2 Ajouter sauce soya, Worcestershire, huile, ail et estragon. Laisser mariner 30 minutes à la température de la pièce.

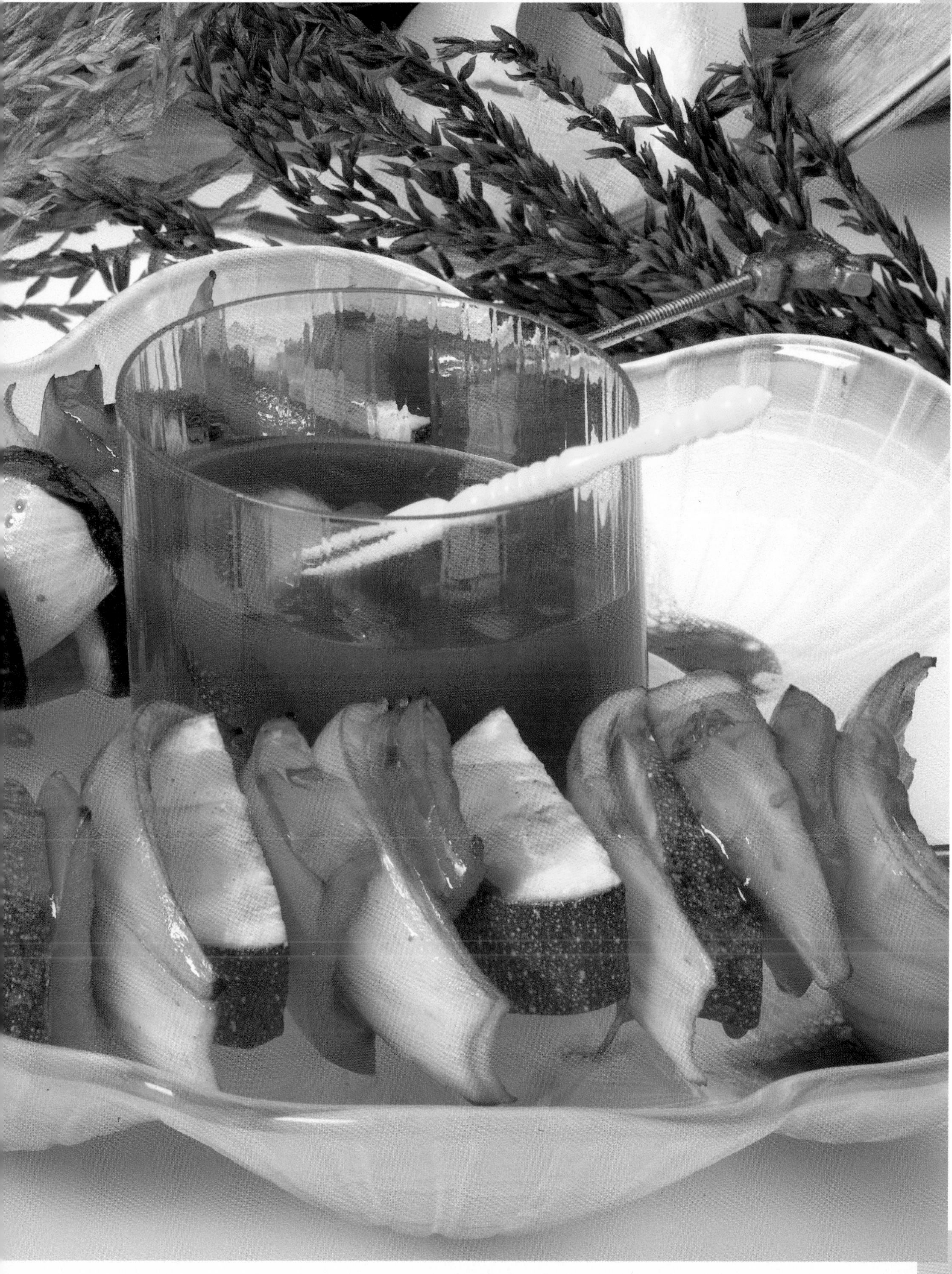

Brochettes de fruits aux tomates

(pour 4 personnes)

1 PORTION	140 CALORIES	34g GLUCIDES
1g PROTÉINES	0g LIPIDES	2,7g FIBRES

2	petites bananes, tranchées épais
¼	ananas, coupé en cubes
1	pomme, pelée et tranchée en sections
1	grosse tomate, évidée et coupée en sections
15 ml	(1 c. à soupe) cassonade
5 ml	(1 c. à thé) cannelle
30 ml	(2 c. à soupe) sirop d'érable

Mettre fruits, tomate, cassonade, cannelle et sirop d'érable dans un bol; mélanger délicatement. Laisser reposer 15 minutes.

Sur des brochettes fines en bois, enfiler, en alternant, ananas, tomate, banane et pomme. Répéter afin d'utiliser tous les ingrédients.

Placer les brochettes dans un plat allant au four. Arroser le tout du jus des fruits. Placer au four, à 15 cm (6 po) de l'élément supérieur. Faire griller 3 minutes de chaque côté.

Servir comme dessert ou pour accompagner un plat de viande.

Brochettes d'ananas et de châtaignes d'eau

(pour 4 personnes)

1 PORTION	143 CALORIES	15g GLUCIDES
5g PROTÉINES	7g LIPIDES	0,4g FIBRES

16	cubes d'ananas frais
8	tranches de bacon moyennement cuit, coupées en deux
12	châtaignes d'eau en conserve
30 ml	(2 c. à soupe) sirop d'érable
5 ml	(1 c. à thé) jus de citron

Enrouler un morceau de bacon autour de chaque ananas. Sur des brochettes, enfiler, en alternant, ananas et châtaignes d'eau. Placer le tout dans un plat allant au four.

Mélanger sirop d'érable et jus de citron. Badigeonner les brochettes du mélange. Placer le tout au four, à 15 cm (6 po) de l'élément supérieur, et faire griller 3 minutes de chaque côté.

Servir au casse-croûte ou comme amuse-gueule.

Dessert aux abricots

(pour 4 personnes)

1 PORTION	259 CALORIES	47g GLUCIDES
2g PROTÉINES	7g LIPIDES	2,9g FIBRES

24	abricots dénoyautés
125 ml	(½ tasse) Tia Maria
30 ml	(2 c. à soupe) beurre
30 ml	(2 c. à soupe) sucre
	jus de 1 orange
	jus de ½ citron
	crème fouettée pour la garniture

Laisser mariner les abricots dans le Tia Maria pendant 30 minutes.

Égoutter et réserver le liquide. Enfiler les abricots sur des brochettes.

Faire chauffer le beurre dans une poêle à frire. Incorporer le sucre et remuer constamment pour dorer.

Ajouter la marinade et flamber. Ajouter jus d'orange et de citron; faire chauffer 2 minutes.

Verser la sauce dans un plat à gratin assez profond et disposer les brochettes dessus. Faire griller au four 6 minutes à Gril (broil).

Couronner de crème fouettée avant de servir.

Brochettes à l'orange

(pour 4 personnes)

1 PORTION	400 CALORIES	70g GLUCIDES
3g PROTÉINES	12g LIPIDES	2,4g FIBRES

2	mandarines, pelées et en sections
1	orange sans pépins, pelée et en sections
½	melon honeydew, coupé en gros dés
30 ml	(2 c. à soupe) sucre granulé
30 ml	(2 c. à soupe) liqueur d'orange
60 g	(2 oz) chocolat amer
50 ml	(¼ tasse) crème à 35 %
250 ml	(1 tasse) sucre à glacer quelques gouttes de vanille

Mettre fruits, sucre granulé et liqueur dans un bol. Mélanger et mettre de côté.

Mettre chocolat, crème, sucre à glacer et vanille dans un bain-marie. Faire chauffer jusqu'à ce que le mélange soit complètement fondu, tout en remuant constamment.

Sur des brochettes, enfiler les fruits et les placer dans des assiettes individuelles. Arroser de sauce au chocolat. Servir.

Brochettes «passion»

(pour 4 personnes)

1 PORTION	141 CALORIES	29g GLUCIDES
4g PROTÉINES	1g LIPIDES	--g FIBRES

4	fruits de la passion, coupés en deux*
30 ml	(2 c. à soupe) liqueur d'orange
2	blancs d'œufs
30 ml	(2 c. à soupe) sucre

Enfiler délicatement les fruits sur de courtes brochettes. Arroser de liqueur et placer le tout dans un plat allant au four.

Battre les blancs fermement. Incorporer lentement le sucre et continuer de battre pendant 1 ½ minute.

À l'aide d'une cuiller, mettre une petite quantité de blancs d'œufs battus sur chaque demi-fruit. Faire griller au four à Gril (broil), à 15 cm (6 po) de l'élément supérieur, pendant 2 minutes.

Servir immédiatement. Il est préférable de consommer ce dessert avec une fourchette.

* Choisir les fruits avec prudence: peau violette foncée, texture ferme, bosselée.

Fraises et kiwis en brochettes

(pour 4 personnes)

1 PORTION	104 CALORIES	23g GLUCIDES
3g PROTÉINES	0g LIPIDES	1,2g FIBRES

24	fraises mûres, parées
4	kiwis mûrs, pelés et coupés en quartiers
45 ml	(3 c. à soupe) sucre
50 ml	(¼ tasse) Crème Caribbean Lamb
15 ml	(1 c. à soupe) zeste de citron râpé
2	blancs d'œufs

Préchauffer le four à 200°C (400°F).

Mettre fraises et kiwis dans un bol. Ajouter 15 ml (1 c. à soupe) de sucre, Crème Caribbean Lamb et zeste de citron. Mélanger et laisser mariner 1 heure.

Sur des brochettes en bois, enfiler, en alternant, les fruits. Placer les brochettes dans un plat allant au four.

Battre les blancs d'œufs jusqu'à ce qu'ils forment des pics et lentement, incorporer le reste du sucre; continuer de battre pendant 1 ½ minute.

Délicatement, placer une petite quantité de blancs battus sur le dessus des brochettes.

Régler le four à Gril (broil) et faire dorer les brochettes 2 à 3 minutes, à 15 cm (6 po) de l'élément supérieur.

Servir immédiatement.

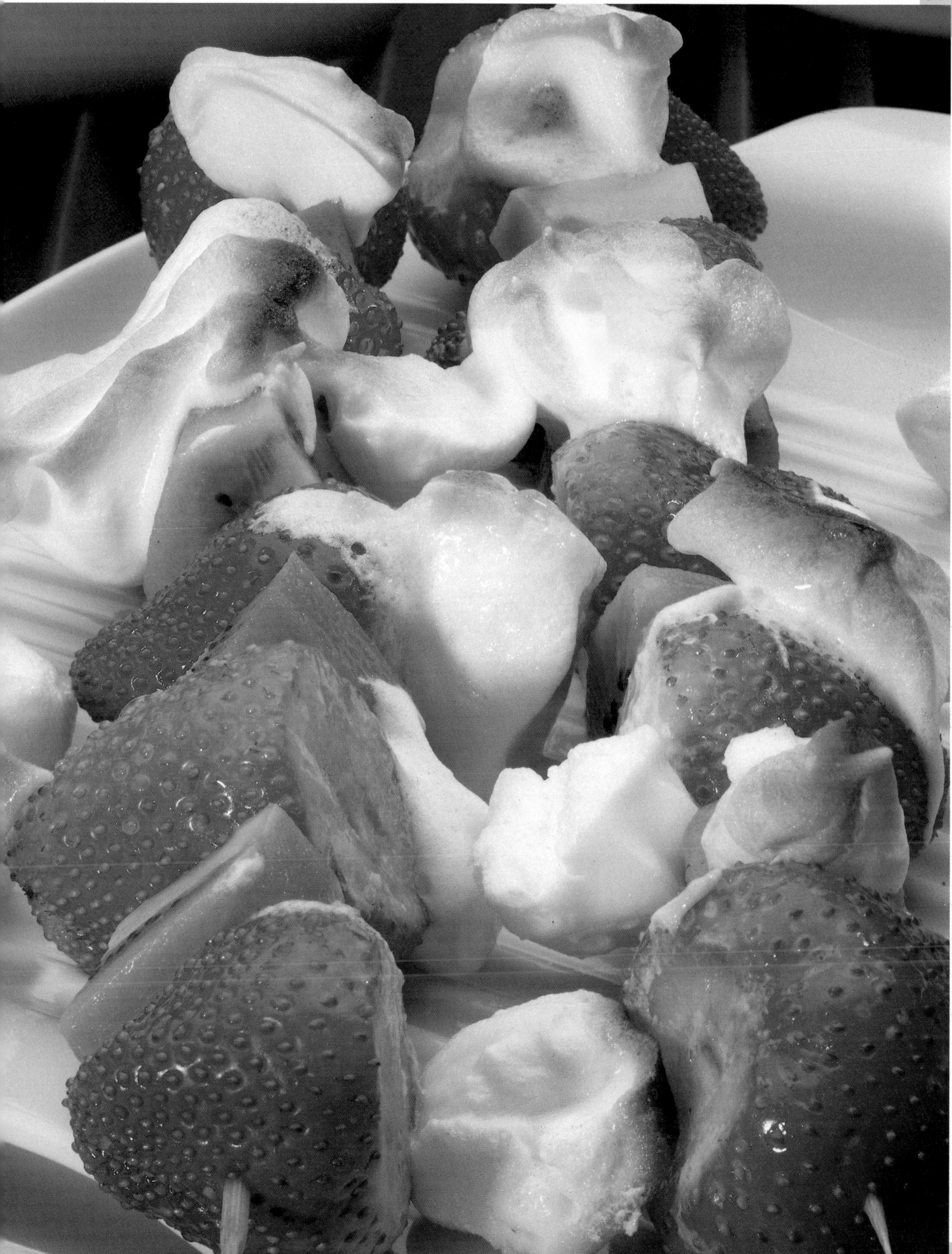

Gourmandise
aux fruits

(pour 4 personnes)

1 PORTION	429 CALORIES	54g GLUCIDES
6g PROTÉINES	21g LIPIDES	1,6g FIBRES

1	banane tranchée
12	fraises, coupées en deux
12	dés d'ananas frais
8	boules de crème glacée à la vanille
30 ml	(2 c. à soupe) beurre
30 ml	(2 c. à soupe) sucre
125 ml	(½ tasse) jus d'orange
	zeste de ½ citron, râpé
	zeste de ½ orange, râpé

Sur des brochettes, enfiler, en alternant, les fruits. Répartir les boules de crème glacée entre 4 coupes à Sundae et couronner le tout de brochettes. Réfrigérer.

Faire chauffer le beurre dans une poêle à frire. Incorporer le sucre et faire cuire, en remuant constamment, jusqu'à l'obtention d'un brun doré.

Ajouter jus d'orange et zeste; faire réduire de moitié.

Refroidir légèrement et verser sur les brochettes. Servir.

Sauce aux prunes

(pour 4 personnes)

1 PORTION	175 CALORIES	36g GLUCIDES
1g PROTÉINES	3g LIPIDES	2,9g FIBRES

8	prunes dénoyautées et coupées en deux
50 ml	(¼ tasse) kirsch
15 ml	(1 c. à soupe) beurre
30 ml	(2 c. à soupe) sucre
175 ml	(¾ tasse) jus de cerises
125 ml	(½ tasse) cerises en conserve
5 ml	(1 c. à thé) fécule de maïs
30 ml	(2 c. à soupe) eau froide
	jus de 1 orange

Laisser mariner les prunes dans la moitié du kirsch pendant 10 minutes. Égoutter et réserver la marinade. Enfiler les prunes sur de courtes brochettes en bois.

Faire chauffer beurre et sucre dans une poêle à frire. Remuer constamment et faire cuire 1 minute.

Ajouter jus de cerises, cerises et jus d'orange; bien remuer. Ajouter le reste du kirsch et la marinade; amener à ébullition.

Placer les brochettes dans la sauce; faire cuire 2 à 3 minutes à feu moyen. Transférer les brochettes dans des plats à dessert. Continuer la cuisson de la sauce 2 à 3 minutes.

Délayer fécule de maïs et eau froide. Incorporer à la sauce et faire chauffer 1 minute.

Verser sur les brochettes. Servir.

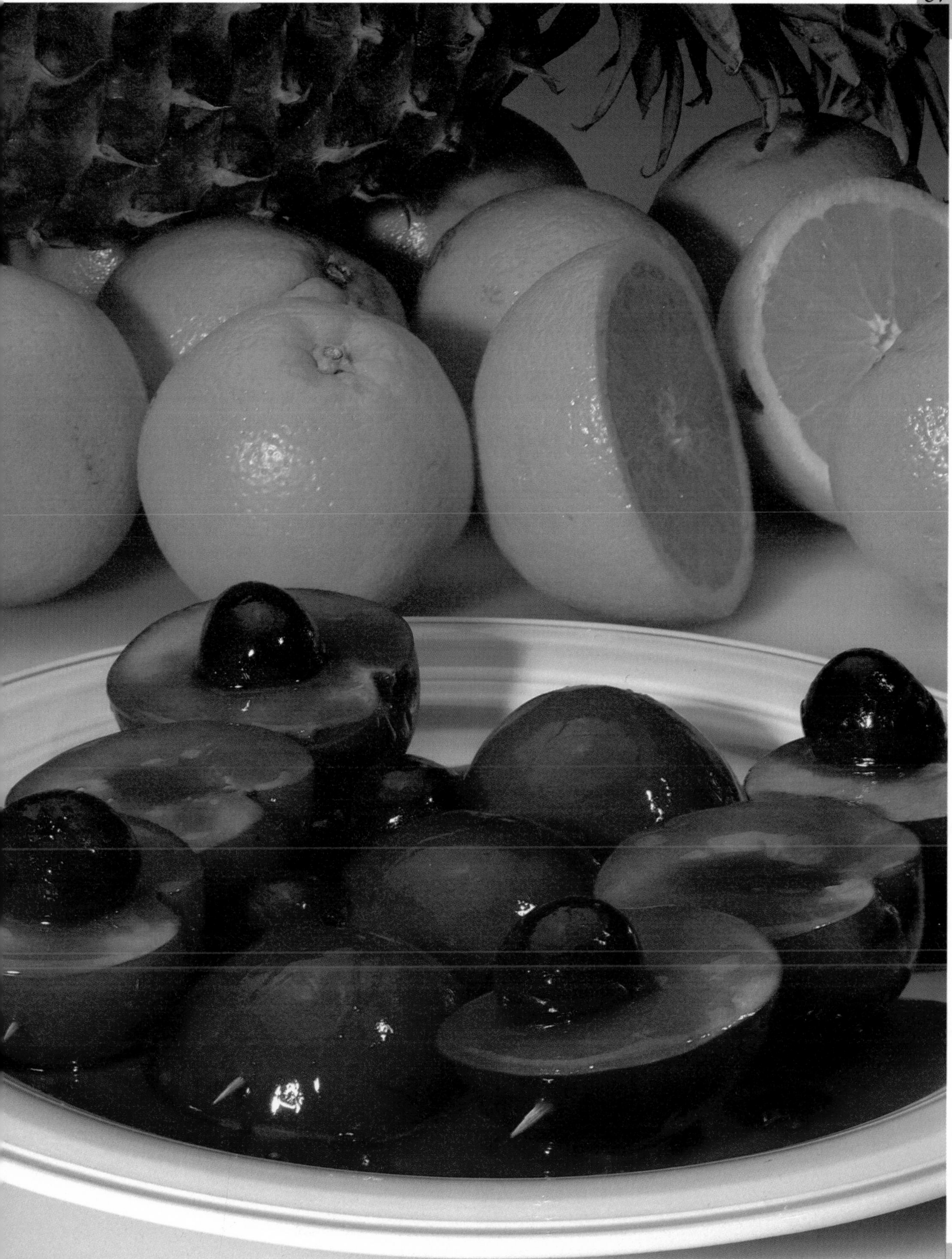

Sauce moutarde aux oignons

1 PORTION	17 CALORIES	2g GLUCIDES
0g PROTÉINES	1g LIPIDES	0,1g FIBRES

15 ml	(1 c. à soupe) huile d'olive
1	oignon, haché
50 ml	(¼ tasse) vinaigre de vin
30 ml	(2 c. à soupe) câpres
5 ml	(1 c. à thé) persil frais haché
1 ml	(¼ c. à thé) poivre du moulin
250 ml	(1 tasse) vin rouge sec
375 ml	(1½ tasse) sauce brune chaude
30 ml	(2 c. à soupe) moutarde de Dijon

Faire chauffer l'huile dans une sauteuse. Ajouter l'oignon; faire cuire 3 minutes à feu moyen.

Incorporer vinaigre, câpres, persil et poivre; faire cuire 3 minutes.

Ajouter le vin; faire chauffer 6 à 7 minutes à feu vif.

Incorporer la sauce brune. Rectifier l'assaisonnement; faire mijoter 6 à 7 minutes à feu doux.

Retirer la sauteuse du feu. Ajouter la moutarde et remuer. Servir avec bœuf ou veau.

Après avoir cuit l'oignon 3 minutes, incorporer vinaigre, câpres, persil et poivre; faire cuire 3 minutes.

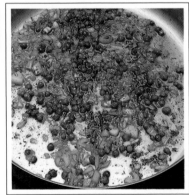

Ajouter le vin; faire chauffer 6 à 7 minutes à feu vif.

Incorporer la sauce brune. Rectifier l'assaisonnement; faire mijoter 6 à 7 minutes à feu doux.

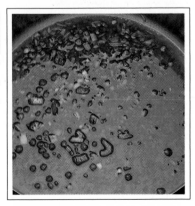

Retirer la sauteuse du feu. Ajouter la moutarde et remuer. Servir.

Sauce au persil

1 PORTION	13 CALORIES	1g GLUCIDES
0g PROTÉINES	1g LIPIDES	0g FIBRES

15 ml	(1 c. à soupe) beurre
30 ml	(2 c. à soupe) persil frais haché
5 ml	(1 c. à thé) origan
15 ml	(1 c. à soupe) estragon
2	échalotes sèches, hachées
30 ml	(2 c. à soupe) vinaigre de vin
125 ml	(½ tasse) vin blanc sec
375 ml	(1½ tasse) bouillon de poulet chaud
15 ml	(1 c. à soupe) fécule de maïs
45 ml	(3 c. à soupe) eau froide
	sel et poivre

Faire chauffer le beurre dans une sauteuse. Ajouter persil, origan, estragon et échalotes; faire cuire 2 minutes à feu moyen. Bien assaisonner.

Ajouter le vinaigre; faire chauffer 1 minute à feu vif.

Incorporer le vin; faire chauffer 3 à 4 minutes.

Incorporer le bouillon de poulet; amener à ébullition et faire chauffer 3 à 4 minutes. Rectifier l'assaisonnement.

Délayer fécule de maïs et eau froide. Incorporer le mélange à la sauce; faire cuire 2 à 3 minutes.

Servir cette sauce avec poulet ou veau.

Faire cuire persil, origan, estragon et échalotes dans le beurre chaud, pendant 2 minutes à feu moyen. Bien assaisonner.

Ajouter le vinaigre; faire chauffer 1 minute à feu vif. Incorporer le vin et continuer la cuisson de 3 à 4 minutes.

Incorporer le bouillon de poulet; amener à ébullition et faire chauffer 3 à 4 minutes. Rectifier l'assaisonnement.

Incorporer le mélange de fécule à la sauce; laisser épaissir de 2 à 3 minutes.

Sauce au cari

1 PORTION	48 CALORIES	3g GLUCIDES
0g PROTÉINES	4g LIPIDES	0,1g FIBRES

30 ml	(2 c. à soupe) beurre
2	gros oignons, finement hachés
45 ml	(3 c. à soupe) cari
500 ml	(2 tasses) bouillon de poulet chaud
25 ml	(1½ c. à soupe) fécule de maïs
45 ml	(3 c. à soupe) eau froide
50 ml	(¼ tasse) crème à 35%
	une pincée de paprika
	sel et poivre

Faire chauffer le beurre dans une sauteuse. Ajouter oignons et paprika; faire cuire 4 à 5 minutes à feu moyen.

Incorporer le cari; faire cuire 3 à 4 minutes à feu très doux.

Ajouter le bouillon de poulet et bien assaisonner; remuer et faire cuire 4 à 5 minutes à feu moyen.

Délayer fécule de maïs et eau froide. Incorporer le mélange à la sauce. Ajouter la crème; remuer et faire cuire 4 à 5 minutes à feu doux.

Cette sauce accompagne bien une grande variété de brochettes.

Faire cuire oignons et paprika dans le beurre chaud, 4 à 5 minutes à feu moyen.

Ajouter le boullion de poulet et bien assaisonner; remuer et faire cuire 4 à 5 minutes à feu moyen.

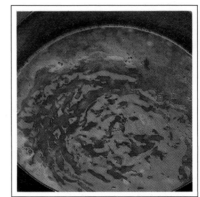

Incorporer le cari; faire cuire 3 à 4 minutes à feu très doux.

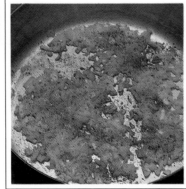

Incorporer le mélange de fécule à la sauce; Ajouter la crème; remuer et faire cuire 3 à 5 minutes à feu doux.

Sauce bourguignonne

1 PORTION	43 CALORIES	3g GLUCIDES
1g PROTÉINES	3g LIPIDES	0,2g FIBRES

15 ml	(1 c. à soupe) huile végétale
2	échalotes sèches, hachées
2	gousses d'ail, écrasées et hachées
15 ml	(1 c. à soupe) persil frais haché
15 ml	(1 c. à soupe) estragon
250 ml	(1 tasse) vin rouge sec
1	feuille de laurier
375 ml	(1½ tasse) sauce brune chaude
250 ml	(1 tasse) champignons, en dés, sautés
	sel et poivre

Faire chauffer l'huile dans une sauteuse. Ajouter échalotes, ail, persil et estragon; faire cuire 2 minutes à feu moyen.

Ajouter vin et laurier. Poivrer et faire cuire 6 à 7 minutes à feu vif.

Incorporer la sauce brune; faire chauffer 4 à 5 minutes à feu moyen.

Ajouter les champignons. Rectifier l'assaisonnement; faire cuire 2 à 3 minutes.

Retirer la feuille de laurier et servir avec des brochettes de bœuf.

Faire cuire échalotes, ail, persil et estragon dans l'huile chaude pendant 2 minutes à feu moyen.

Incorporer la sauce brune; faire cuire 4 à 5 minutes à feu moyen.

Ajouter vin et laurier. Poivrer et faire chauffer 6 à 7 minutes à feu vif.

Ajouter les champignons. Rectifier l'assaisonnement; faire cuire 2 à 3 minutes.

Sauce orange-miel

1 PORTION	70 CALORIES	13g GLUCIDES
0g PROTÉINES	2g LIPIDES	0,2g FIBRES

1	oignon, finement haché
15 ml	(1 c. à soupe) huile
250 ml	(1 tasse) jus d'orange
60 ml	(4 c. à soupe) miel
15 ml	(1 c. à soupe) gingembre frais finement haché
30 ml	(2 c. à soupe) vinaigre de vin
	quelques gouttes de sauce Tabasco

Bien incorporer tous les ingrédients dans une petite casserole. Amener à ébullition et continuer la cuisson 2 minutes.

Laisser refroidir légèrement. Utiliser pour badigeonner poulet ou porc avant de faire griller au four ou au barbecue.

Sauce au poivre vert

1 PORTION	82 CALORIES	5g GLUCIDES
2g PROTÉINES	6g LIPIDES	0,1g FIBRES

15 ml	(1 c. à soupe) beurre
1	oignon, finement haché
15 ml	(1 c. à soupe) persil frais haché
45 ml	(3 c. à soupe) grains de poivre vert
125 ml	(½ tasse) vin blanc sec
375 ml	(1½ tasse) sauce blanche chaude
5 ml	(1 c. à thé) cumin
	sel et poivre
	une pincée de paprika

Faire chauffer le beurre dans une casserole. Ajouter oignon et persil; faire cuire 2 minutes.

Ajouter poivre vert et vin; remuer et faire cuire 5 minutes à feu vif.

Incorporer sauce blanche, cumin et paprika. Saler, poivrer; faire cuire 6 à 7 minutes à feu doux.

Rectifier l'assaisonnement. Servir avec toutes sortes de brochettes.

Sauce tartare

1 PORTION	99 CALORIES	0g GLUCIDES
0g PROTÉINES	11g LIPIDES	0,2g FIBRES

250 ml	(1 tasse) mayonnaise
3	cornichons, finement hachés
24	olives vertes farcies, finement hachées
5 ml	(1 c. à thé) persil frais haché
15 ml	(1 c. à soupe) câpres
1 ml	(¼ c. à thé) paprika
5 ml	(1 c. à thé) jus de citron
	sel et poivre

Bien incorporer tous les ingrédients dans un bol. Rectifier l'assaisonnement et réfrigérer jusqu'au moment de servir.

Sauce Stroganoff

1 PORTION	43 CALORIES	3g GLUCIDES
1g PROTÉINES	3g LIPIDES	0,2g FIBRES

15 ml	(1 c. à soupe) huile d'olive
1	oignon moyen, finement haché
125 g	(¼ livre) champignons frais, finement hachés
5 ml	(1 c. à thé) persil frais haché
125 ml	(½ tasse) vin rouge sec
375 ml	(1½ tasse) sauce brune chaude
50 ml	(¼ tasse) crème à 35% sel et poivre

Faire chauffer l'huile dans une sauteuse. Ajouter l'oignon; faire cuire 3 minutes à feu moyen.

Ajouter champignons et persil; faire cuire 2 à 3 minutes.

Incorporer le vin; faire chauffer 4 à 5 minutes à feu vif.

Ajouter la sauce brune. Remuer et rectifier l'assaisonnement; faire chauffer 6 à 7 minutes à feu moyen-doux.

Incorporer la crème et prolonger la cuisson de 2 minutes.

Servir avec bœuf ou poulet.

Après avoir cuit l'oignon 3 minutes, ajouter champignons et persil; faire cuire 2 à 3 minutes.

Ajouter la sauce brune. Remuer et rectifier l'assaisonnement; faire chauffer 6 à 7 minutes à feu moyen-doux.

Incorporer le vin; faire chauffer 4 à 5 minutes à feu vif.

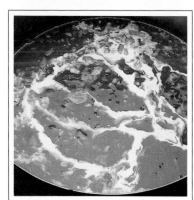

Incorporer la crème et prolonger la cuisson de 2 minutes.

Sauce paprika

1 PORTION	74 CALORIES	4g GLUCIDES
1g PROTÉINES	6g LIPIDES	0,2g FIBRES

Sauce épicée pour brochettes

1 PORTION	61 CALORIES	12g GLUCIDES
1g PROTÉINES	1g LIPIDES	0,3g FIBRES

30 ml	(2 c. à soupe) raifort
375 ml	(1½ tasse) ketchup
125 ml	(½ tasse) sauce chili
5 ml	(1 c. à thé) sauce Worcestershire
	quelques gouttes de sauce Tabasco
	quelques gouttes de jus de limette
	une pincée de sel

Bien incorporer tous les ingrédients dans un bol. Badigeonner les brochettes et faire griller tel qu'indiqué dans la recette.

250 ml	(1 tasse) oignons
30 ml	(2 c. à soupe) beurre
30 ml	(2 c. à soupe) paprika
125 ml	(½ tasse) vin blanc sec
375 ml	(1½ tasse) sauce blanche chaude
	quelques gouttes de sauce Tabasco
	une pincée de sel
	quelques gouttes de jus de citron

Mettre les oignons dans une petite casserole et ajouter assez d'eau pour les recouvrir. Amener à ébullition et faire cuire 2 minutes. Égoutter et mettre de côté.

Faire chauffer le beurre dans une casserole. Ajouter oignons égouttés et paprika; faire cuire 5 à 6 minutes à feu doux.

Incorporer le vin; faire cuire 5 minutes à feu vif pour réduire le liquide des $2/3$.

Incorporer sauce blanche et reste des ingrédients; faire cuire 6 à 7 minutes à feu doux.

Cette sauce accompagne bien une grande variété de brochettes.

LES PÂTES

Pour cuire les pâtes à la perfection

Suivant les besoins de chaque recette, nous avons compté 125 g (¼ livre) ou moins, de pâtes non cuites par personne.

Comptez 4 L (16 tasses) d'eau pour 500 g (1 livre) de pâtes. L'eau doit circuler librement durant la cuisson.

Pour empêcher les pâtes de coller, ajouter 15 ml (1 c. à soupe) d'huile ou de vinaigre à l'eau bouillante avant d'y mettre les pâtes.

Ajoutez 5 ml (1 c. à thé) de sel à l'eau de cuisson pour relever la saveur des pâtes.

Amenez l'eau à pleine ébullition avant d'ajouter les pâtes. Remuez aussitôt les pâtes avec une fourchette.

Laissez bouillir l'eau constamment pendant la cuisson et remuez les pâtes fréquemment pour les empêcher de coller.

Voici une façon très simple de vérifier la cuisson des pâtes : mordez dans un morceau de pâte et ajustez la cuisson en conséquence. Au besoin, consultez le mode d'emploi imprimé sur l'emballage.

Dès que les pâtes sont cuites «al dente», égouttez-les aussitôt dans une passoire et rincez-les à l'eau froide. Secouez pour bien égoutter. Mettez de côté. Si nécessaire, réchauffez les pâtes en les passant rapidement à l'eau chaude.

Pour plus de commodité, nous avons préparé un tableau de mesures en tasses pour certaines pâtes. Toutes les équivalences sont basées sur 125 g (¼ livre) de pâtes non cuites.

Rotini	250 ml	(1 tasse)
Coquilles (moyennes)	325 ml	(1⅓ tasse)
Penne	425 ml	(1¾ tasse)
Fusilli	425 ml	(1¾ tasse)
Macaroni	250 ml	(1 tasse)
Nouilles aux œufs (larges)	550 ml	(2¼ tasses)

Spaghetti blanc trois fromages

(pour 4 personnes)

1 PORTION	579 CALORIES	94g GLUCIDES
17g PROTÉINES	15g LIPIDES	0,3g FIBRES

15 ml	(1 c. à soupe) vinaigre blanc
5 ml	(1 c. à thé) sel
500 g	(1 livre) spaghetti
45 ml	(3 c. à soupe) beurre
50 ml	(¼ tasse) fromage parmesan râpé
50 ml	(¼ tasse) fromage mozzarella râpé
50 ml	(¼ tasse) fromage gruyère râpé
1 ml	(¼ c. à thé) graines de céleri
	poivre blanc
	une pincée de paprika

Dans une grande casserole, amener à ébullition 4 L (16 tasses) d'eau, vinaigre et sel. Ajouter les pâtes et remuer; faire cuire à pleine ébullition, sans couvrir, jusqu'à ce que les pâtes soient tendres mais fermes ou «al dente». Remuer de temps en temps pendant la cuisson. Voir le temps de cuisson indiqué sur l'emballage.

Dès que les pâtes sont cuites «al dente», les égoutter dans une passoire et réserver 50 ml (¼ tasse) du liquide de cuisson. Rincer les pâtes à l'eau froide. Mettre de côté.

Faire fondre le beurre dans la même casserole. Incorporer fromages et liquide de cuisson réservé. Bien remuer.

Ajouter pâtes, graines de céleri et poivre. Mélanger délicatement et faire cuire 2 minutes à feu moyen tout en remuant constamment.

Saupoudrer de paprika. Servir immédiatement.

Nouilles et sauce aux fromages variés

(pour 4 personnes)

1 PORTION	882 CALORIES	111g GLUCIDES
33g PROTÉINES	34g LIPIDES	0,5g FIBRES

60 ml	(4 c. à soupe) beurre
65 ml	(4½ c. à soupe) farine
1 L	(4 tasses) lait chaud
2 ml	(½ c. à thé) muscade
1 ml	(¼ c. à thé) clou moulu
50 ml	(¼ tasse) fromage fontina râpé
50 ml	(¼ tasse) fromage gorgonzola, émietté
50 ml	(¼ tasse) fromage mozzarella, en dés
50 ml	(¼ tasse) fromage parmesan râpé
500 g	(1 livre) nouilles larges aux œufs, cuites
	sel et poivre

Faire chauffer le beurre dans une casserole. Incorporer la farine; faire cuire 2 à 3 minutes à feu doux.

Ajouter la moitié du lait et bien remuer avec un fouet. Ajouter le reste du lait et les épices. Remuer et faire cuire 8 à 10 minutes à feu doux.

Incorporer les fromages; continuer la cuisson 4 à 5 minutes. Remuer de temps en temps.

Servir sur les nouilles.

Sauce tomate de base

1 PORTION	154 CALORIES	21g GLUCIDES
4g PROTÉINES	6g LIPIDES	2,2g FIBRES

30 ml	(2 c. à soupe) huile végétale
15 ml	(1 c. à soupe) beurre fondu
2	oignons, finement hachés
2	gousses d'ail, écrasées et hachées
12	grosses tomates, pelées et hachées
3	branches de persil frais
5 ml	(1 c. à thé) origan
2 ml	(½ c. à thé) thym
1	feuille de laurier
1 ml	(¼ c. à thé) piments broyés
156 ml	(5½ oz) boîte de pâte de tomates
	une pincée de sucre
	sel et poivre

Faire chauffer huile et beurre dans une sauteuse. Ajouter oignons et ail; bien mêler. Couvrir et faire cuire 4 à 5 minutes à feu doux.

Incorporer tomates, épices et sucre; couvrir et continuer la cuisson 15 minutes. Remuer de temps en temps.

Incorporer la pâte de tomates; faire cuire, sans couvrir, de 10 à 15 minutes à feu doux.

Forcer la sauce à travers une passoire en utilisant le dos d'une cuiller. Cette sauce rendra environ 1 L (4 tasses).

Sauce à la viande pour spaghetti

(pour 6 à 8 personnes)

1 PORTION	265 CALORIES	15g GLUCIDES
22g PROTÉINES	13g LIPIDES	1,7g FIBRES

30 ml	(2 c. à soupe) huile d'olive
1	oignon haché
1	carotte, en petits dés
1	branche de céleri, en petits dés
3	gousses d'ail, écrasées et hachées
250 g	(½ livre) porc maigre haché
250 g	(½ livre) bœuf maigre haché
125 g	(¼ livre) chair à saucisse
1 ml	(¼ c. à thé) piments rouges broyés
2 ml	(½ c. à thé) thym
2 ml	(½ c. à thé) origan
1 ml	(¼ c. à thé) chili en poudre
1 ml	(¼ c. à thé) sucre
1	feuille de laurier
250 ml	(1 tasse) vin blanc sec Chardonnay
2	boîtes de tomates en conserve de 796 ml (28 oz), égouttées et hachées
156 ml	(5½ oz) boîte de pâte de tomates
	sel et poivre

Faire chauffer l'huile dans une sauteuse. Ajouter oignon, carotte, céleri et ail; couvrir et faire cuire 3 minutes à feu moyen.

Ajouter porc, bœuf et chair à saucisse; bien mêler et faire cuire 4 minutes sans couvrir.

Ajouter épices, sucre et vin; faire chauffer 3 minutes à feu vif.

Incorporer tomates et pâte de tomates. Rectifier l'assaisonnement et amener à ébullition. Couvrir partiellement et faire cuire 1 heure à feu doux. Remuer de temps en temps.

Servir sur des spaghetti ou utiliser dans diverses recettes de pâtes.

Faire cuire  légumes et ail pendant 3 minutes à feu moyen, avec un couvercle.

Ajouter épices,  sucre et vin; faire chauffer 3 minutes à feu vif.

Ajouter porc,  bœuf et chair à saucisse; bien mêler et faire cuire 4 minutes sans couvrir.

Incorporer  tomates et pâte de tomates. Rectifier l'assaisonnement et amener à ébullition. Faire cuire 1 heure à feu doux, partiellement couvert.

Sauce blanche

1 PORTION	60 CALORIES	4g GLUCIDES
2g PROTÉINES	4g LIPIDES	0g FIBRES

60 ml	(4 c. à soupe) beurre
75 ml	(5 c. à soupe) farine
1,2 L	(5 tasses) lait chaud
1	oignon, piqué d'un clou de girofle
1 ml	(¼ c. à thé) muscade
	sel et poivre blanc

Faire chauffer le beurre dans une casserole. Ajouter la farine et bien mélanger. Faire cuire 2 minutes à feu doux en remuant constamment.

Incorporer la moitié du lait avec un fouet. Ajouter le reste du lait et assaisonner. Mettre l'oignon, incorporer la muscade et amener à ébullition.

Faire cuire la sauce de 8 à 10 minutes à feu doux. Remuer de temps en temps.

On peut utiliser cette sauce pour une grande variété de recettes de pâtes.

Sauce tomate épicée

1 PORTION	182 CALORIES	15g GLUCIDES
8g PROTÉINES	10g LIPIDES	1,5g FIBRES

15 ml	(1 c. à soupe) huile d'olive
4	tranches de bacon, en dés
1	gros oignon, finement haché
2	gousses d'ail, écrasées et hachées
6	grosses tomates, pelées, épépinées et hachées
1	piment jalapeno frais, finement haché
15 ml	(1 c. à soupe) basilic
5 ml	(1 c. à thé) chili en poudre
1 ml	(¼ c. à thé) sucre
50 ml	(¼ tasse) fromage parmesan râpé
	sel et poivre

Faire chauffer l'huile dans une sauteuse. Ajouter le bacon et le faire cuire jusqu'à ce qu'il soit croustillant. Retirer le bacon. Mettre de côté.

Mettre oignon et ail dans le gras de bacon; faire cuire 3 à 4 minutes à feu doux.

Incorporer tomates, piment jalapeno, épices et sucre. Couvrir et faire cuire 20 minutes à feu doux. Remuer de temps en temps.

Retirer le couvercle et continuer la cuisson pendant 15 minutes.

Incorporer fromage et bacon. Cette recette rendra environ 500 ml (2 tasses).

Pérogies en sauce

(pour 4 personnes)

1 PORTION	465 CALORIES	48g GLUCIDES
21g PROTÉINES	21g LIPIDES	2,9g FIBRES

500 g	(1 livre) paquet de pérogies, décongelés
30 ml	(2 c. à soupe) huile d'olive
1	oignon haché
½	aubergine moyenne, en cubes
1	courgette tranchée
2 ml	(½ c. à thé) origan
30 ml	(2 c. à soupe) beurre
1	boîte de tomates en conserve de 796 ml (28 oz), égouttées et hachées
1	gousse d'ail, écrasée et hachée
250 ml	(1 tasse) bouillon de poulet chaud
60 ml	(4 c. à soupe) pâte de tomates
45 ml	(3 c. à soupe) fromage ricotta
	sel et poivre

Faire cuire les pérogies 4 minutes dans l'eau bouillante salée. Égoutter et mettre de côté.

Faire chauffer l'huile dans une sauteuse; ajouter les oignons et faire cuire 2 minutes à feu moyen.

Ajouter aubergine, courgette et origan. Saler, poivrer; couvrir et faire cuire 10 à 12 minutes en remuant de temps en temps.

Entre-temps, faire chauffer 30 ml (2 c. à soupe) de beurre dans une poêle. Ajouter les pérogies; faire brunir des deux côtés. Retirer de la poêle et mettre de côté.

Ajouter tomates et ail au mélange d'aubergine. Bien mélanger et incorporer le bouillon de poulet. Rectifier l'assaisonnement et incorporer la pâte de tomates. Amener à ébullition et faire cuire 8 à 10 minutes sans couvrir.

Ajouter fromage et pérogies. Remuer et laisser mijoter 2 à 3 minutes pour réchauffer.

Après avoir cuit
les oignons
3 minutes,
continuer la cuisson
3 minutes sans
couvrir.

Ajouter les
champignons; faire
cuire 3 à 4 minutes.

Incorporer le
bouillon de poulet et
assaisonner; amener
à ébullition et faire
cuire 15 à 18 minutes
à feu moyen.

Épaissir
la sauce. Ajouter
raisins, banane et
châtaignes d'eau;
faire cuire 1 minute.

Tortellini au cari

(pour 4 personnes)

1 PORTION	325 CALORIES	43g GLUCIDES
9g PROTÉINES	13g LIPIDES	2,6g FIBRES

30 ml	(2 c. à soupe) huile
2	oignons hachés
30 ml	(2 c. à soupe) poudre de cari
250 g	(½ livre) champignons frais, nettoyés et tranchés
750 ml	(3 tasses) bouillon de poulet chaud
30 ml	(2 c. à soupe) fécule de maïs
45 ml	(3 c. à soupe) eau froide
250 ml	(1 tasse) raisins verts sans pépins
1	banane, en grosses rondelles
284 ml	(10 oz) boîte de châtaignes d'eau, égouttées et tranchées
250 g	(½ livre) tortellini au fromage, cuits
	sel et poivre

Faire chauffer l'huile dans une sauteuse. Ajouter les oignons; couvrir et faire cuire 3 minutes.

Incorporer le cari; continuer la cuisson 3 minutes sans couvrir.

Ajouter les champignons; faire cuire 3 à 4 minutes. Incorporer le bouillon de poulet et assaisonner; amener à ébullition; faire cuire 15 à 18 minutes à feu moyen.

Délayer fécule de maïs et eau froide. Incorporer à la sauce; faire chauffer 1 minute.

Incorporer raisins, banane et châtaignes d'eau; faire cuire 1 minute.

Ajouter les tortellini; laisser mijoter 3 à 4 minutes.

Piments jaunes farcis de pâtes

(pour 4 personnes)

1 PORTION	417 CALORIES	70g GLUCIDES
14g PROTÉINES	9g LIPIDES	3,6g FIBRES

375 ml	(1 ½ tasse) spaghetti, brisés en morceaux de 2,5 cm (1 po)
4	gros piments jaunes, blanchis 4 minutes
15 ml	(1 c. à soupe) beurre
250 g	(½ livre) champignons frais, en dés
30 ml	(2 c. à soupe) piment mariné haché
300 ml	(1 ¼ tasse) sauce tomate chaude
125 ml	(½ tasse) fromage ricotta
	sel et poivre

Faire cuire les spaghetti «al dente». Égoutter et mettre de côté.

À l'aide d'un couteau, trancher une calotte sur chaque piment. Retirer la membrane blanche et les graines. Placer les piments dans un plat de service. Mettre de côté.

Faire chauffer le beurre dans une casserole. Ajouter les champignons; faire cuire 3 minutes à feu moyen. Bien assaisonner.

Ajouter piment mariné et spaghetti; bien mélanger et faire cuire 2 minutes.

Incorporer sauce tomate et fromage. Rectifier l'assaisonnement. Verser le mélange dans les piments. Faire griller au four de 4 à 5 minutes.

Tortellini en sauce

(pour 4 personnes)

1 PORTION	320 CALORIES	24g GLUCIDES
11g PROTÉINES	20g LIPIDES	0,9g FIBRES

45 ml	(3 c. à soupe) beurre
1	oignon haché
15 ml	(1 c. à soupe) persil frais haché
1	gousse d'ail, écrasée et hachée
125 g	(¼ livre) champignons frais, nettoyés et en dés
250 ml	(1 tasse) vin rouge sec
500 ml	(2 tasses) bouillon de bœuf chaud
30 ml	(2 c. à soupe) fécule de maïs
45 ml	(3 c. à soupe) eau froide
250 g	(½ livre) tortellini, cuits
50 ml	(¼ tasse) bacon cuit émietté
125 ml	(½ tasse) fromage parmesan râpé
	sel et poivre

Faire chauffer le beurre dans une sauteuse. Ajouter oignon, persil et ail; faire cuire 3 minutes à feu doux.

Ajouter les champignons. Saler, poivrer; mélanger et faire cuire 3 à 4 minutes à feu moyen.

Incorporer le vin et faire chauffer 4 minutes à feu vif. Ajouter le bouillon de bœuf; faire chauffer 3 à 4 minutes à feu moyen. Rectifier l'assaisonnement.

Délayer fécule de maïs et eau froide. Incorporer à la sauce et faire cuire 2 minutes.

Ajouter les tortellini; laisser mijoter 3 à 4 minutes.

Servir avec bacon et fromage.

Fettucine aux moules

(pour 4 personnes)

1 PORTION	828 CALORIES	113g GLUCIDES
58g PROTÉINES	16g LIPIDES	0,7g FIBRES

4 kg	(8½ livres) moules fraîches, brossées et bien nettoyées
3	échalotes sèches, finement hachées
15 ml	(1 c. à soupe) persil frais haché
30 ml	(2 c. à soupe) beurre
250 ml	(1 tasse) vin blanc sec
500 ml	(2 tasses) sauce tomate chaude
500 g	(1 livre) fettucine, cuites
125 ml	(½ tasse) fromage parmesan râpé
	sel et poivre

Mettre moules, échalotes, persil, beurre et vin dans une grande casserole. Couvrir et amener à ébullition; faire cuire 4 à 5 minutes ou jusqu'à ce que les coquilles s'ouvrent.

Retirer les moules de leur coquille tout en égouttant dans la casserole le liquide qui s'y trouve. Jeter les coquilles et mettre les moules de côté.

Passer le liquide de cuisson à travers une gaze à fromage et le verser dans la casserole. Amener à ébullition et faire chauffer 2 à 3 minutes.

Incorporer la sauce tomate. Saler, poivrer; faire cuire 4 à 5 minutes à feu moyen.

Incorporer pâtes et moules à la sauce. Faire chauffer 3 à 4 minutes à feu doux pour réchauffer.

Servir avec le fromage parmesan.

Fettucine aux petits pois

(pour 4 personnes)

1 PORTION	737 CALORIES	103g GLUCIDES
25g PROTÉINES	25g LIPIDES	1,0g FIBRES

45 ml	(3 c. à soupe) beurre
30 ml	(2 c. à soupe) oignon râpé
45 ml	(3 c. à soupe) farine
550 ml	(2¼ tasses) lait chaud
1 ml	(¼ c. à thé) muscade
1 ml	(¼ c. à thé) poivre blanc
500 g	(1 livre) fettucine, cuits
250 ml	(1 tasse) petits pois mange-tout, blanchis
4	tranches de bacon croustillant, finement hachées
125 ml	(½ tasse) fromage parmesan râpé
	sel
	quelques gouttes de sauce Tabasco

Faire chauffer beurre et oignon dans une casserole. Incorporer la farine; faire cuire 2 minutes à feu doux. Remuer 1 fois.

Verser la moitié du lait et bien mélanger avec un fouet. Ajouter le reste du lait. Ajouter les épices; faire chauffer 10 minutes à feu doux en remuant de temps en temps.

Ajouter pâtes et petits pois; remuer et continuer la cuisson de 2 à 3 minutes.

Rectifier l'assaisonnement. Garnir de bacon et de fromage avant de servir.

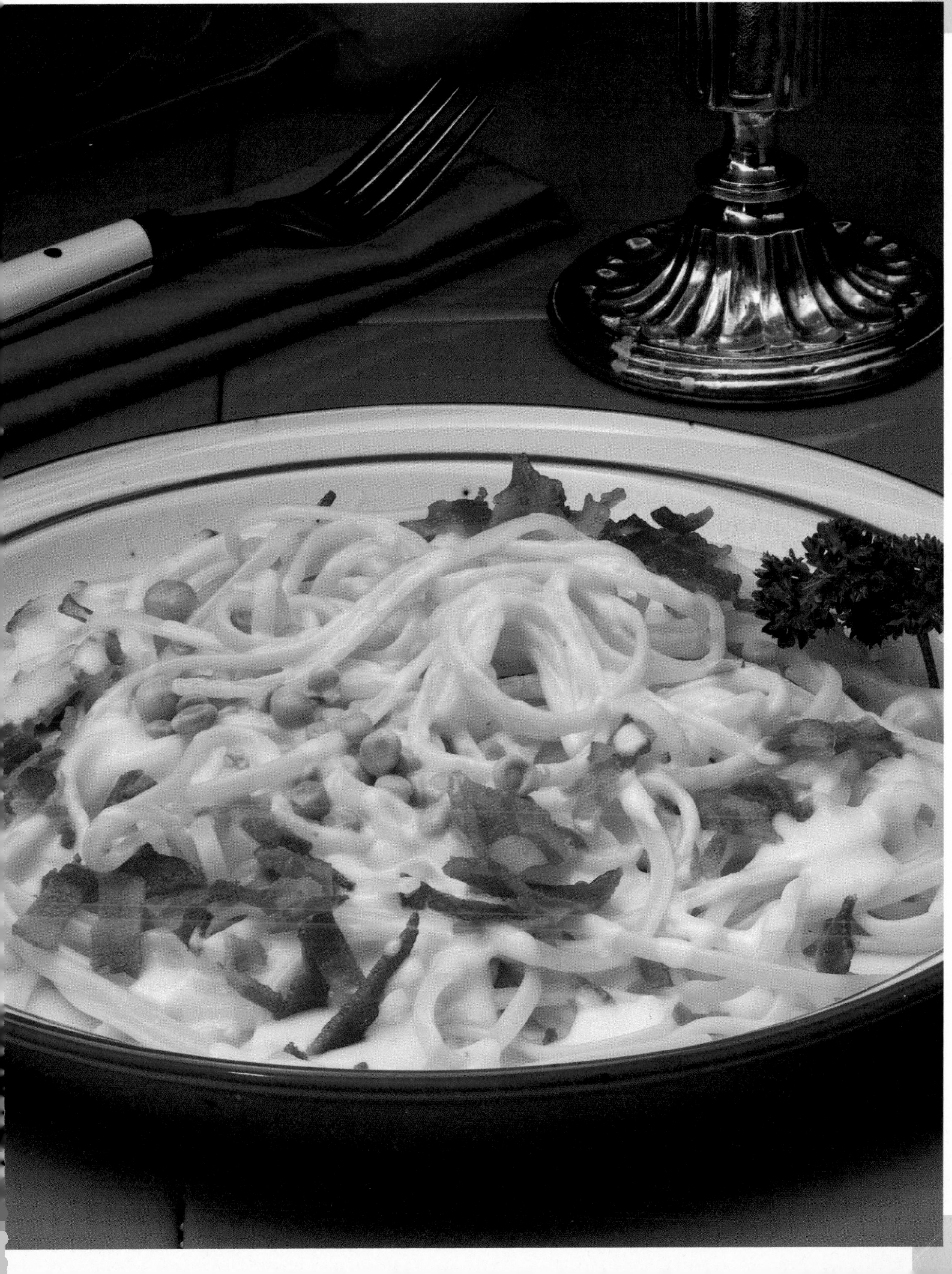

Tomates farcies froides

(pour 4 personnes)

1 PORTION	216 CALORIES	23g GLUCIDES
4g PROTÉINES	12g LIPIDES	3,4g FIBRES

8	grosses tomates
3	feuilles de menthe, hachées
30 ml	(2 c. à soupe) huile d'olive
5 ml	(1 c. à thé) vinaigre de vin
375 ml	(1½ tasse) macaroni coupés cuits
45 ml	(3 c. à soupe) vinaigrette à la moutarde ou au goût
15 ml	(1 c. à soupe) persil frais haché
1	piment vert, finement haché
30 ml	(2 c. à soupe) piment doux mariné, haché
	sel et poivre

Retirer le dessus de chaque tomate à l'aide d'un couteau. Avec une cuiller, évider chaque tomate en prenant soin de ne pas déchirer la peau. Mettre les tomates évidées de côté. Jeter la chair.

Mélanger menthe, huile et vinaigre; saler, poivrer. Parsemer le mélange dans les tomates évidées. Laisser reposer 15 minutes.

Mélanger les pâtes et le reste des ingrédients. Laisser reposer 15 minutes.

Remplir les tomates du mélange. Réfrigérer 15 minutes. Servir.

Macaroni avec viande et fromage

(pour 4 personnes)

1 PORTION	826 CALORIES	88g GLUCIDES
60g PROTÉINES	26g LIPIDES	2,0g FIBRES

30 ml	(2 c. à soupe) huile d'olive
1	oignon, finement haché
1	gousse d'ail, écrasée et hachée
2 ml	(½ c. à thé) origan
15 ml	(1 c. à soupe) persil frais haché
250 g	(½ livre) bœuf maigre haché
250 g	(½ livre) porc maigre haché
1½	boîte 796 ml (28 oz) de tomates en conserve, égouttées et hachées
375 g	(¾ livre) macaroni, cuits
375 g	(¾ livre) fromage ricotta
	sel et poivre

Faire chauffer l'huile dans une sauteuse. Ajouter l'oignon; faire cuire 3 minutes à feu doux.

Incorporer ail, épices et viande; faire cuire 5 à 6 minutes en remuant souvent.

Incorporer les tomates et rectifier l'assaisonnement. Continuer la cuisson de 10 à 12 minutes à feu doux.

Ajouter macaroni et fromage; faire cuire 4 à 5 minutes à feu doux. Servir.

Macaroni aux fruits de mer

(pour 4 personnes)

1 PORTION	795 CALORIES	112g GLUCIDES
53g PROTÉINES	15g LIPIDES	5,1g FIBRES

5	grosses tomates, coupées en deux et épépinées
15 ml	(1 c. à soupe) huile d'olive
1	gros oignon, finement haché
2 ml	(½ c. à thé) basilic
2 ml	(½ c. à thé) estragon
2 ml	(½ c. à thé) persil frais haché
500 g	(1 livre) petites crevettes cuites
500 g	(1 livre) macaroni, cuits
250 ml	(1 tasse) fromage ricotta
	une pincée de sucre
	sel et poivre

Mettre les tomates en purée dans un blender pendant 3 minutes.

Faire chauffer l'huile dans une grande poêle à frire. Ajouter l'oignon; faire cuire 3 minutes à feu doux.

Ajouter basilic, estragon, persil, sucre et tomates. Saler, poivrer et faire cuire 25 à 30 minutes.

Incorporer crevettes, macaroni et fromage; faire chauffer 3 minutes. Servir.

Penne au salami

(pour 4 personnes)

1 PORTION	623 CALORIES	90g GLUCIDES
23g PROTÉINES	19g LIPIDES	0,5g FIBRES

30 ml	(2 c. à soupe) beurre
50 ml	(¼ tasse) fromage monterey ou cheddar, râpé ou émietté
125 ml	(½ tasse) fromage parmesan râpé
500 g	(1 livre) nouilles «penne», cuites
12	fines tranches de salami, en julienne
	persil frais haché
	sel et poivre

Faire chauffer le beurre dans une grande casserole à feu moyen-doux. Incorporer les fromages; faire cuire 2 minutes à feu doux. Remuer pour empêcher le fromage d'adhérer à la casserole.

Ajouter les penne chaudes. Assaisonner généreusement. Bien mêler et continuer la cuisson 2 à 3 minutes à feu doux.

Incorporer le salami. Garnir de persil. Servir.

Penne et légumes en salade

(pour 4 personnes)

1 PORTION	891 CALORIES	95g GLUCIDES
31g PROTÉINES	43g LIPIDES	1,7g FIBRES

500 g	(1 livre) nouilles «penne», cuites
1	piment jaune, en julienne
½	courgette en julienne, blanchie
4	tranches de jambon cuit, en julienne
1	grosse tomate, en sections
125 ml	(½ tasse) olives noires dénoyautées
15 ml	(1 c. à soupe) persil frais haché
2 ml	(½ c. à thé) origan frais haché
3	feuilles de menthe, hachées
1	jaune d'œuf
30 ml	(2 c. à soupe) ketchup
45 ml	(3 c. à soupe) vinaigre de vin
125 ml	(½ tasse) huile d'olive
125 ml	(½ tasse) fromage parmesan râpé
15 ml	(1 c. à soupe) piment jalapeno haché
	sel et poivre

Dans un grand bol à salade, mélanger penne, piment jaune, courgette, jambon, tomate, olives, persil, origan et menthe.

Dans un autre bol, mélanger jaune d'œuf et ketchup. Incorporer le vinaigre et ajouter l'huile, en filet, tout en mélangeant constamment avec un fouet.

Ajouter le reste des ingrédients. Verser la sauce sur la salade; mélanger et servir.

Linguini aux cœurs d'artichauts

(pour 4 personnes)

1 PORTION	707 CALORIES	105g GLUCIDES
20g PROTÉINES	23g LIPIDES	1,3g FIBRES

75 ml	(5 c. à soupe) beurre
65 ml	(4½ c. à soupe) farine
500 ml	(2 tasses) bouillon de poulet chaud
8	cœurs d'artichauts, en quartiers
1	gousse d'ail, écrasée et hachée
125 ml	(½ tasse) olives vertes farcies, en deux
15 ml	(1 c. à soupe) persil frais haché
50 ml	(¼ tasse) vin blanc sec Chardonnay
500 g	(1 livre) linguini, cuits
125 ml	(½ tasse) fromage parmesan râpé
	une pincée de paprika
	sel et poivre

Faire chauffer 60 ml (4 c. à soupe) de beurre dans une casserole. Ajouter la farine; mélanger et faire cuire 2 minutes à feu doux en remuant fréquemment.

Incorporer le bouillon de poulet; bien remuer. Assaisonner généreusement. Faire cuire 8 à 10 minutes à feu doux.

Entre-temps, faire chauffer le reste du beurre dans une poêle à frire. Ajouter cœurs d'artichauts, ail, olives et persil; faire cuire 2 à 3 minutes à feu moyen. Saler, poivrer.

Incorporer le vin blanc; faire cuire 2 à 3 minutes.

Incorporer le mélange d'artichauts à la sauce. Verser sur les pâtes. Saupoudrer de paprika et de fromage au moment de servir.

Lasagne roulée

(pour 4 personnes)

1 PORTION	949 CALORIES	57g GLUCIDES
70g PROTÉINES	49g LIPIDES	0,9g FIBRES

30 ml	(2 c. à soupe) huile végétale
1	petit oignon, finement haché
1 ml	(¼ c. à thé) thym
5 ml	(1 c. à thé) origan
15 ml	(1 c. à soupe) persil frais haché
1 ml	(¼ c. à thé) clou moulu
500 g	(1 livre) veau haché
3	tranches de jambon, finement hachées
50 ml	(¼ tasse) bouillon de poulet chaud
250 ml	(1 tasse) d'épinards cuits, hachés
90 g	(3 oz) fromage mozzarella en dés
1	œuf battu
8	nouilles lasagne, cuites
1 L	(4 tasses) sauce blanche chaude
250 ml	(1 tasse) fromage gruyère râpé
	paprika au goût
	sel et poivre

Préchauffer le four à 190°C (375°F).

Faire chauffer l'huile dans une sauteuse. Ajouter oignon, thym, origan, persil et clou; couvrir et faire cuire 3 minutes.

Incorporer veau et jambon. Saler, poivrer et faire cuire 3 minutes sans couvrir.

Lasagne à la viande

(pour 6 personnes)

1 PORTION	785 CALORIES	85g GLUCIDES
64g PROTÉINES	21g LIPIDES	2,4g FIBRES

375 ml	(1½ tasse) fromage cottage
1 ml	(¼ c. à thé) piment de la Jamaïque moulu
2 ml	(¼ c. à thé) origan
15 ml	(1 c. à soupe) zeste de citron râpé
125 ml	(½ tasse) fromage parmesan râpé
30 ml	(2 c. à soupe) huile végétale
2	oignons hachés
1	branche de céleri, hachée
2	gousses d'ail, écrasées et hachées
500 g	(1 livre) bœuf maigre haché
250 g	(½ livre) veau haché
500 g	(1 livre) champignons frais, nettoyés et hachés
500 g	(1 livre) nouilles lasagne aux épinards, cuites
300 ml	(1¼ tasse) fromage mozzarella râpé
1 L	(4 tasses) sauce tomate chaude
	sel et poivre

Préchauffer le four à 190°C (375°F).

Beurrer un plat à lasagne. Mettre de côté.

Mélanger fromage cottage, épices, zeste et parmesan dans un bol. Mettre de côté.

Faire chauffer l'huile dans une sauteuse. Ajouter oignons, céleri et ail; faire cuire 3 à 4 minutes à feu moyen.

Ajouter la viande et bien mêler; faire brunir 5 à 6 minutes. Assaisonner généreusement. Incorporer les champignons et finir la cuisson de 3 à 4 minutes à feu vif. Rectifier l'assaisonnement et retirer du feu.

Étendre un rang de nouilles lasagne dans le fond du plat beurré. Ajouter la moitié de la viande, recouvrir de la moitié du fromage cottage, parsemer de fromage mozzarella et arroser de sauce. Répéter 1 fois.

Recouvrir le tout d'un rang de nouilles lasagne. Arroser la lasagne du reste de la sauce et finir avec le fromage mozzarella.

Faire cuire 50 minutes au four.

Ajouter bouillon de poulet et épinards; faire cuire 3 à 4 minutes. Incorporer le mozzarella; faire cuire 2 à 3 minutes en remuant constamment. Retirer du feu et laisser refroidir.

Ajouter l'œuf pour bien lier le mélange. Étendre les nouilles à plat et les saupoudrer de paprika. Recouvrir chaque nouille de farce et rouler.

Placer les rouleaux dans un plat à gratin et les recouvrir de sauce blanche. Parsemer de gruyère. Faire cuire 20 minutes au four.

Servir avec une garniture de légumes ou une salade.

Étendre les nouilles lasagne et les saupoudrer de paprika.

Placer les rouleaux dans un plat à gratin et recouvrir de sauce.

Étendre la farce et rouler.

Parsemer de gruyère et faire cuire 20 minutes au four.

Lasagne aux légumes

(pour 6 personnes)

1 PORTION	666 CALORIES	81g GLUCIDES
27g PROTÉINES	26g LIPIDES	4,7g FIBRES

125 ml	(½ tasse) fromage parseman râpé
125 ml	(½ tasse) fromage gruyère râpé
125 ml	(½ tasse) fromage romano râpé
45 ml	(3 c. à soupe) beurre
1	oignon rouge, en petits dés
1	branche de céleri, en petits dés
1	petite courgette, en dés
½	chou-fleur, en dés
1	piment jaune, en dés
1	petite aubergine, en petits dés
15 ml	(1 c. à soupe) persil frais haché
15 ml	(1 c. à soupe) zeste de citron râpé
2 ml	(½ c. à thé) muscade et clou moulu
2	gousses d'ail, écrasées et hachées
50 ml	(¼ tasse) bouillon de poulet chaud
500 g	(1 livre) nouilles lasagne, cuites
6	tomates, émincées
750 ml	(3 tasses) sauce blanche légère, chaude
125 ml	(½ tasse) sauce tomate chaude
	sel et poivre
	tranches de fromage mozzarella
	paprika au goût

Préchauffer le four à 190°C (375°F).

Beurrer un plat à lasagne. Mettre de côté.

Bien incorporer tous les fromages râpés. Mettre de côté.

Faire chauffer le beurre dans une sauteuse. Ajouter oignon et céleri; faire cuire 4 minutes à feu doux.

Ajouter le reste des légumes (sauf les tomates), persil, zeste de citron, épices, ail et bouillon de poulet. Bien remuer; couvrir et faire cuire 10 à 12 minutes à feu doux.

Étendre un rang de nouilles lasagne dans le plat beurré. Ajouter la moitié des légumes, recouvrir de la moitié des tomates et parsemer de la moitié des fromages râpés. Arroser le tout de la moitié de la sauce blanche. Répéter 1 fois.

Pour finir, recouvrir d'un rang de nouilles lasagne. Arroser la lasagne de sauce tomate et couronner de tranches de mozzarella. Saupoudrer de paprika.

Faire cuire 50 minutes au four.

Faire cuire
le reste des légumes
(sauf les tomates),
épices, zeste, ail et
bouillon de poulet,
10 à 12 minutes,
dans une sauteuse à
feu doux.

Recouvrir de
la moitié de la sauce
blanche. Répéter les
rangs de nouilles,
légumes, tomates et
fromage râpé une
seconde fois.

Sur un rang de
nouilles lasagne,
étendre la moitié du
mélange de légumes
et la moitié des
tomates. Parsemer le
tout de la moitié du
fromage râpé.

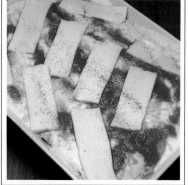

Pour finir,
recouvrir d'un rang
de nouilles. Arroser la
lasagne de sauce
tomate et couronner
de tranches de
mozzarella.
Saupoudrer de
paprika.

Fusilli, brocoli et fromage

(pour 4 personnes)

1 PORTION	892 CALORIES	101g GLUCIDES
32g PROTÉINES	40g LIPIDES	1,1g FIBRES

2	petites têtes de brocoli, en fleurettes
375 ml	(1½ tasse) crème légère froide
250 g	(½ livre) fromage gorgonzola, en morceaux
15 ml	(1 c. à soupe) beurre
15 ml	(1 c. à soupe) persil frais haché
500 g	(1 livre) fusilli, cuits
	quelques gouttes de jus de citron
	sel et poivre

Faire cuire le brocoli 3 à 4 minutes dans l'eau bouillante salée. Égoutter et mettre de côté. Arroser de jus de citron.

Verser la crème dans une casserole et l'amener au point d'ébullition. Ajouter fromage et beurre; bien remuer et assaisonner.

Faire cuire 4 à 5 minutes à feu doux pour permettre au fromage de fondre. Remuer de temps en temps.

Incorporer brocoli, persil et jus de citron; laisser mijoter 1 à 2 minutes. Servir sur les pâtes.

Fusilli aux foies de poulet

(pour 4 personnes)

1 PORTION	648 CALORIES	87g GLUCIDES
39g PROTÉINES	16g LIPIDES	1,8g FIBRES

15 ml	(1 c. à soupe) huile
500 g	(1 livre) foies de poulet, coupés en deux
30 ml	(2 c. à soupe) beurre
1	oignon, finement haché
250 g	(½ livre) champignons frais, nettoyés et en dés
1	piment rouge, en dés
125 ml	(½ tasse) vin rouge sec
250 ml	(1 tasse) sauce tomate chaude
250 ml	(1 tasse) bouillon de bœuf chaud
1 ml	(¼ c. à thé) thym
2 ml	(½ c. à thé) basilic
5 ml	(1 c. à thé) fécule de maïs
30 ml	(2 c. à soupe) eau froide
375 g	(¾ livre) fusilli, cuits et chauds
	sel et poivre

Faire chauffer l'huile dans une sauteuse. Ajouter les foies; faire cuire 3 minutes de chaque côté. Saler, poivrer. Retirer de la sauteuse et mettre de côté.

Mettre beurre, oignon et champignons dans la sauteuse; faire cuire 3 minutes à feu moyen. Ajouter piments; faire cuire 2 minutes. Saler, poivrer.

Incorporer le vin; faire chauffer 3 minutes à feu vif. Incorporer sauce tomate, bouillon de bœuf et épices; faire cuire 2 minutes.

Délayer fécule de maïs et eau froide. Ajouter à la sauce et faire chauffer 1 minute.

Ajouter les foies de poulet; laisser mijoter 5 minutes. Verser sur les fusilli chauds. Servir.

Coquilles aux aubergines

(pour 4 personnes)

1 PORTION	567 CALORIES	92g GLUCIDES
16g PROTÉINES	15g LIPIDES	2,8g FIBRES

2	aubergines moyennes
45 ml	(3 c. à soupe) huile d'olive
1	gousse d'ail, écrasée et hachée
15 ml	(1 c. à soupe) persil frais haché
5 ml	(1 c. à thé) marjolaine
500 ml	(2 tasses) sauce tomate épicée, chaude
375 g	(¼ livre) coquilles moyennes, cuites
125 ml	(½ tasse) olives noires dénoyautées marinées, tranchées
	sel et poivre

Préchauffer le four à 190°C (375°F).

Couper les aubergines, en deux, sur la longueur. Faire des incisions dans la chair et la badigeonner de 30 ml (2 c. à soupe) d'huile. Faire cuire 50 minutes au four.

Retirer du four. Ôter la chair et la hacher.

Faire chauffer le reste de l'huile dans une sauteuse. Ajouter l'ail; faire cuire 1 minute. Ajouter aubergine et épices; mélanger et faire cuire 3 à 4 minutes à feu vif.

Incorporer la sauce tomate; laisser mijoter 5 minutes à feu doux.

Ajouter coquilles et olives; laisser mijoter 2 à 3 minutes à feu doux.

Rotini
aux champignons

(pour 4 personnes)

1 PORTION	623 CALORIES	77g GLUCIDES
18g PROTÉINES	27g LIPIDES	0,8g FIBRES

30 ml	(2 c. à soupe) huile d'olive
500 ml	(2 tasses) champignons frais, en quartiers
30 ml	(2 c. à soupe) câpres
5 ml	(1 c. à thé) persil frais haché
2 ml	(½ c. à thé) origan
125 ml	(½ tasse) vin rouge sec Valpolicella
375 ml	(1½ tasse) crème légère chaude
30 ml	(2 c. à soupe) pâte de tomates
2	oignons verts, hachés
375 g	(¾ livre) rotini, cuits
50 ml	(¼ tasse) fromage parmesan râpé
	sel et poivre

Faire chauffer l'huile dans une casserole. Ajouter champignons, câpres, persil et origan. Saler, poivrer; faire cuire 3 à 4 minutes à feu moyen.

Ajouter le vin rouge; faire cuire 3 à 4 minutes à feu vif.

Incorporer la crème; bien remuer. Ajouter pâte de tomates et oignons verts; bien remuer et faire cuire 3 à 4 minutes à feu doux.

Rectifier l'assaisonnement. Verser sur les pâtes cuites. Saupoudrer de parmesan au moment de servir.

Nouilles aux œufs avec anchois

(pour 4 personnes)

1 PORTION	677 CALORIES	80g GLUCIDES
24g PROTÉINES	29g LIPIDES	2,3g FIBRES

5	grosses tomates, pelées
30 ml	(2 c. à soupe) huile d'olive
1	gousse d'ail, écrasée et hachée
3	feuilles de basilic frais, hachées
1	petit piment jalapeno, coupé en deux
4	filets d'anchois, hachés
250 ml	(1 tasse) olives noires marinées, dénoyautées
45 ml	(3 c. à soupe) câpres
250 ml	(1 tasse) fromage emmenthal râpé
375 g	(¾ livre) nouilles larges aux œufs, cuites
	sel et poivre

Mettre les tomates en purée dans un blender. Mettre de côté.

Faire chauffer l'huile dans une sauteuse. Ajouter ail et basilic; faire cuire 1 minute à feu moyen.

Ajouter tomates et piment jalapeno; mélanger et incorporer les anchois. Amener à ébullition et faire cuire 18 à 20 minutes à feu doux. Note: pour une sauce moins épicée, on peut retirer le piment jalapeno durant la cuisson.

Ajouter le reste des ingrédients et bien mélanger; faire cuire 3 à 4 minutes. Servir.

Mettre les tomates en purée dans un blender.
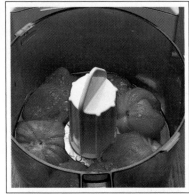

Faire chauffer ail et basilic dans l'huile chaude. Ajouter tomates et piment jalapeno.

Bien mélanger et ajouter les anchois. Amener à ébullition; faire cuire 18 à 20 minutes à feu doux.
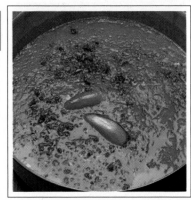

Pour une sauce moins épicée, retirer le piment jalapeno durant la cuisson.
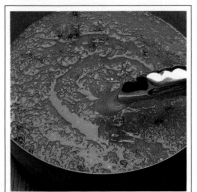

Nouilles Stroganoff

(pour 4 personnes)

1 PORTION	781 CALORIES	80g GLUCIDES
59g PROTÉINES	25g LIPIDES	1,3g FIBRES

15 ml	(1 c. à soupe) huile végétale
750 g	(1½ livre) surlonge de bœuf de 2,5 cm (1 po) d'épaisseur, en lanières
30 ml	(2 c. à soupe) beurre
2	échalotes sèches, hachées
1	oignon émincé
250 g	(½ livre) champignons frais, nettoyés et tranchés
15 ml	(1 c. à soupe) persil frais haché
1 ml	(¼ c. à thé) thym
250 ml	(1 tasse) vin rouge sec Valpolicella
500 ml	(2 tasses) bouillon de bœuf chaud
25 ml	(1½ c. à soupe) fécule de maïs
45 ml	(3 c. à soupe) eau froide
375 g	(¾ livre) nouilles larges aux œufs aux épinards, cuites
125 ml	(½ tasse) fromage ricotta
	sel et poivre

Faire chauffer l'huile dans une poêle à frire. Ajouter la viande; faire cuire 2 minutes à feu moyen-vif. Retourner la viande; assaisonner et continuer la cuisson 1 minute. Retirer la viande de la poêle.

Mettre beurre, échalotes et oignon dans la poêle; faire cuire 3 minutes à feu doux.

Ajouter champignons, persil et thym; faire cuire 3 minutes à feu moyen.

Rectifier l'assaisonnement. Incorporer le vin et faire chauffer 3 minutes à feu vif. Incorporer le bouillon de bœuf; faire chauffer 3 minutes à feu doux.

Délayer fécule de maïs et eau froide. Ajouter à la sauce et faire chauffer 2 minutes.

Remettre la viande dans la sauce. Incorporer les nouilles et laisser mijoter 2 minutes.

Incorporer le fromage. Servir.

Nouilles aux œufs à la continentale

(pour 4 personnes)

1 PORTION	765 CALORIES	128g GLUCIDES
16g PROTÉINES	21g LIPIDES	1,7g FIBRES

45 ml	(3 c. à soupe) beurre
2	oignons, finement hachés
2	oignons verts, finement hachés
45 ml	(3 c. à soupe) poudre de cari
5 ml	(1 c. à thé) cumin
750 ml	(3 tasses) bouillon de poulet chaud
30 ml	(2 c. à soupe) fécule de maïs
45 ml	(3 c. à soupe) eau froide
125 ml	(½ tasse) raisins dorés secs
125 ml	(½ tasse) noix de coco râpée
500 g	(1 livre) nouilles larges aux œufs, cuites
125 ml	(½ tasse) yogourt nature
	sel et poivre
	quelques graines de sésame

Faire chauffer le beurre dans une sauteuse. Ajouter oignons et oignons verts; faire cuire 3 à 4 minutes à feu doux. Incorporer cari et cumin; continuer la cuisson 3 à 4 minutes.

Incorporer le bouillon de poulet. Assaisonner et amener à ébullition. Faire cuire 15 minutes à feu doux.

Délayer fécule de maïs et eau froide. Incorporer le mélange à la sauce; faire chauffer 1 minute.

Ajouter raisins, noix de coco et nouilles; laisser mijoter 2 à 3 minutes.

Incorporer yogourt et graines de sésame. Servir.

Vermicelli aux épinards

(pour 4 personnes)

1 PORTION	701 CALORIES	110g GLUCIDES
27g PROTÉINES	17g LIPIDES	1,9g FIBRES

500 g	(1 livre) feuilles d'épinards
30 ml	(2 c. à soupe) huile d'olive
2	gousses d'ail, écrasées et hachées
750 ml	(3 tasses) sauce tomate chaude
500 g	(1 livre) vermicelli, cuits
250 ml	(1 tasse) fromage parmesan râpé
	sel et poivre

Laver soigneusement les épinards. Couvrir et les faire cuire 3 à 4 minutes dans de l'eau salée bouillante.

Égoutter les épinards et les rouler en boule pour retirer l'excès d'eau. Hacher et mettre de côté.

Faire chauffer l'huile dans une sauteuse. Ajouter ail et épinards; faire cuire 3 minutes à feu vif.

Ajouter sauce tomate et vermicelli. Saler, poivrer et bien mélanger. Faire mijoter 2 à 3 minutes à feu moyen-doux.

Servir avec du fromage.

Vermicelli au bacon et aux pois

(pour 4 personnes)

1 PORTION	489 CALORIES	83g GLUCIDES
19g PROTÉINES	9g LIPIDES	5,8g FIBRES

30 ml	(2 c. à soupe) beurre
1	oignon d'Espagne, haché
2 ml	(½ c. à thé) origan
2 ml	(½ c. à thé) paprika
4	tranches de bacon de dos, en lanières
50 ml	(¼ tasse) vin rouge sec
375 ml	(1½ tasse) bouillon de bœuf chaud
25 ml	(1½ c. à soupe) fécule de maïs
45 ml	(3 c. à soupe) eau froide
375 ml	(1½ tasse) pois verts congelés, cuits
375 g	(¾ livre) vermicelli, cuits
125 ml	(½ tasse) fromage parmesan râpé
	sel et poivre

Faire chauffer le beurre dans une sauteuse. Ajouter oignon et épices; faire cuire 8 à 10 minutes à feu doux.

Ajouter le bacon; faire cuire 3 à 4 minutes. Incorporer le vin; faire chauffer 3 minutes à feu vif.

Incorporer le bouillon de bœuf; faire chauffer 5 à 6 minutes à feu moyen.

Délayer fécule de maïs et eau froide. Incorporer à la sauce; faire chauffer 1 minute.

Ajouter pois et vermicelli; remuer et laisser mijoter 3 minutes. Incorporer le fromage et servir.

Faire cuire oignons et épices 8 à 10 minutes à feu doux.

Ajouter le bacon; faire cuire 3 à 4 minutes. Incorporer le vin; faire chauffer 3 minutes à feu vif.

Incorporer le mélange de fécule et laisser épaissir 1 minute.

Ajouter pois et vermicelli; remuer et laisser mijoter 3 minutes. Incorporer le fromage avant de servir

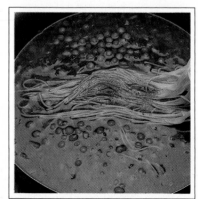

Gnocchi au ricotta

(pour 4 personnes)

1 PORTION	488 CALORIES	42g GLUCIDES
26g PROTÉINES	24g LIPIDES	0,3g FIBRES

125 ml	(½ tasse) fromage ricotta
2	œufs
250 ml	(1 tasse) fromage parmesan râpé
375 ml	(1½ tasse) farine tamisée
250 ml	(1 tasse) fromage gruyère râpé
375 ml	(1½ tasse) sauce blanche légère, chaude
250 ml	(1 tasse) sauce tomate chaude
15 ml	(1 c. à soupe) persil frais haché
	sel et poivre
	paprika

Préchauffer le four à 190°C (375°F).

Mettre fromage ricotta, œufs et parmesan dans un blender. Saler, poivrer et bien mélanger pendant 1 minute.

Ajouter la farine; mélanger 1 minute. Transférer la pâte dans un bol; couvrir et réfrigérer 1 heure.

Jeter des petites boules de pâte dans beaucoup d'eau bouillante salée; faire cuire 8 minutes. Note: l'eau doit toujours bouillir. Dépendant de la grosseur des gnocchi, il sera préférable de les faire cuire en deux étapes.

Dès que les gnocchi sont cuits, les retirer avec une cuiller à trous et les égoutter sur du papier essuie-tout.

Placer la moitié des gnocchi dans un plat à gratin légèrement beurré. Parsemer de la moitié du gruyère, arroser de la moitié de la sauce blanche et saupoudrer de paprika. Arroser le tout de la moitié de la sauce tomate.

Pour finir: ajouter un rang de gnocchi, parsemer de gruyère, saupoudrer de persil et arroser de sauce blanche et de sauce tomate.

Faire cuire 30 à 35 minutes au four.

Jeter des petites boules de pâte froide dans beaucoup d'eau bouillante salée. Faire cuire 2 minutes.

Placer la moitié des gnocchi dans un plat à gratin légèrement beurré. Ajouter la moitié du gruyère, la moitié de la sauce blanche et saupoudrer de paprika.

Arroser de la moitié de la sauce tomate.

Pour finir: ajouter un rang de gnocchi, de fromage, saupoudrer de persil et arroser de sauce blanche et de sauce tomate.

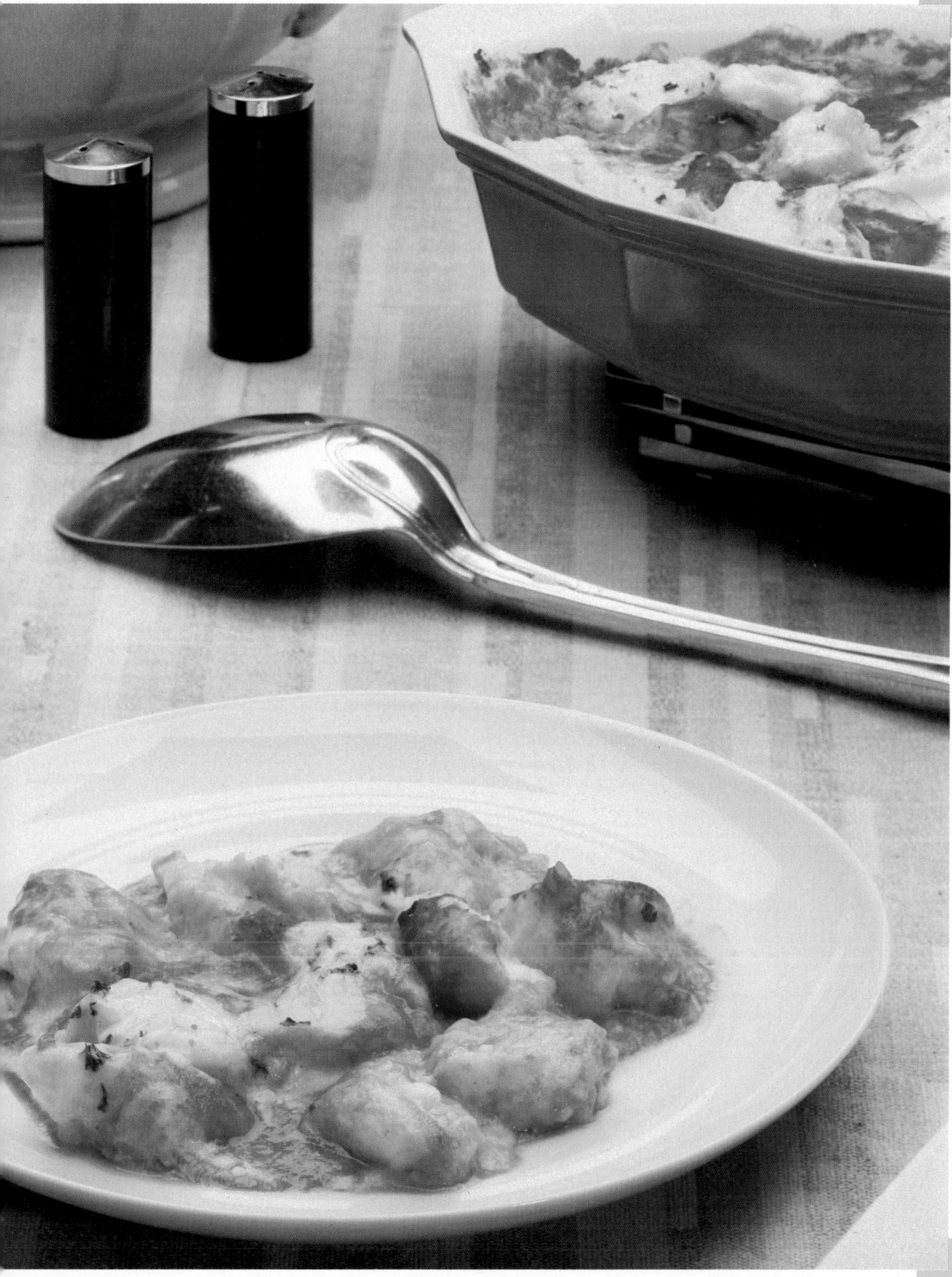

Gnocchi aux pommes de terre

(pour 4 personnes)

1 PORTION	400 CALORIES	42g GLUCIDES
13g PROTÉINES	20g LIPIDES	1,6g FIBRES

250 ml	(1 tasse) farine
500 ml	(2 tasses) pommes de terre cuites, passées au moulin à légumes
60 ml	(4 c. à soupe) beurre
125 ml	(½ tasse) fromage mozzarella râpé
375 ml	(1½ tasse) sauce tomate chaude
125 ml	(½ tasse) fromage ricotta
	sel et poivre blanc
	une pincée de muscade

Placer la farine dans un bol et former un creux au centre. Ajouter muscade, pommes de terre et 45 ml (3 c. à soupe) de beurre. Pincer la pâte pour bien incorporer les ingrédients.

Saler, poivrer et retirer la pâte du bol. Placer la pâte sur le comptoir et la pétrir avec la paume de la main pour qu'elle devienne très uniforme.

Former une grosse boule avec la pâte et la couper en quartiers. Rouler chaque quartier en cylindre de 2,5 cm (1 po) de diamètre. Couper chaque cylindre en morceaux de 1,2 cm (1 po) de longueur.

Faire cuire le tout pendant 5 minutes dans une grande sauteuse remplie d'eau mijotante, salée. Note: l'eau doit toujours mijoter sans arriver au point d'ébullition.

Les gnocchi sont cuits lorsqu'ils remontent à la surface. Retirer les gnocchi de l'eau avec une cuiller à trous et les égoutter sur du papier essuie-tout.

Préchauffer le four à 190°C (375°F).

Beurrer un grand plat à gratin avec le reste du beurre.

Saler, poivrer le mozzarella. Incorporer le fromage ricotta à la sauce tomate avec un fouet, à feu doux pendant 1 minute.

Étendre les gnocchi dans le plat à gratin. Parsemer de mozzarella et arroser de sauce tomate. Faire cuire 12 minutes au four.

Régler le four à Gril (broil) et continuer la cuisson pendant 4 minutes. Servir.

CUISINE ÉCONOMIQUE

CUISINER DE FAÇON ÉCONOMIQUE

Cuisiner de façon économique ne devrait pas systématiquement faire penser à un plat sans goût, sans attrait ou sans valeur nutritive. Bien au contraire, manger économiquement, c'est utiliser le plein pouvoir d'achat de son dollar tout en tirant le maximum de ses achats. Comme vous le savez, il existe plusieurs façons d'épargner en faisant son marché : en utilisant les coupons et les rabais offerts par les supermarchés ou tout simplement en planifiant les menus en fonction des «spéciaux» de la semaine.

N'oubliez pas toutefois cette règle très importante : ne jamais accepter d'aliments de seconde qualité. Si un mardi les piments laissent à désirer, choisissez un autre légume frais. Faites un compromis sur le choix, jamais sur la qualité. Soyez prêts à passer un peu plus de temps en cuisine, car il faudra peut-être faire mariner ou cuire plus longtemps une viande de coupe économique. Mais croyez-moi, elle deviendra tendre et savoureuse. Alors à l'attaque!

Corned-beef au chou

(pour 4 personnes)

1 PORTION	1777 CALORIES	54g GLUCIDES
73g PROTÉINES	141g LIPIDES	6,3g FIBRES

1,8 kg	(4 livres) poitrine de bœuf salé
3	clous de girofle
1	feuille de laurier
3	branches de persil frais
2 ml	(½ c. à thé) thym
1	gros chou, coupé en 4
8	carottes pelées
4	grosses pommes de terre, pelées et coupées en 2
2	poireaux, coupés en 4 sur la longueur en partant de 2,5 cm (1 po) du pied, lavés
	sel et poivre

Placer le morceau de viande dans une grande casserole et le recouvrir de 7,5 cm (3 po) d'eau froide. Amener à ébullition et écumer.

Ajouter clous, laurier, persil et thym; couvrir partiellement et faire cuire 3 heures à feu doux. Écumer si nécessaire.

Entre-temps, faire blanchir chou et carottes dans l'eau bouillante salée pendant 10 minutes. Bien égoutter.

Après 3 heures de cuisson, ajouter légumes blanchis, pommes de terre et poireaux dans la casserole contenant la viande. Couvrir partiellement et continuer la cuisson 1 heure.

Pour servir: retirer bœuf et légumes de la casserole et les placer sur un plat de service. Humecter la viande d'un peu de jus de cuisson. Trancher et servir.

Bœuf bouilli

(pour 4 personnes)

1 PORTION	486 CALORIES	7g GLUCIDES
56g PROTÉINES	26g LIPIDES	1,5g FIBRES

1,8 kg	(4 livres) rôti de côtes croisées, ficelé
2	branches de céleri, coupées en deux
2	poireaux, coupés en 4 sur la longueur en partant de 2,5 cm (1 po) du pied, lavés
1	oignon d'Espagne, coupé en 4
2	gousses d'ail, pelées et entières
4	clous de girofle
2 ml	(½ c. à thé) piment de la Jamaïque
4	branches de persil
2	feuilles de laurier
	sel et poivre

Mettre tous les ingrédients dans une grande casserole et les recouvrir d'eau froide; amener à ébullition.

Écumer et continuer la cuisson 4 heures à feu doux en couvrant partiellement.

Servir avec une sauce au raifort.

Sauce au raifort

1 PORTION	51 CALORIES	5g GLUCIDES
1g PROTÉINES	3g LIPIDES	0,5g FIBRES

60 ml	(4 c. à soupe) raifort
30 ml	(2 c. à soupe) crème sure
15 ml	(1 c. à soupe) chapelure
75 ml	(5 c. à soupe) crème fouettée
	quelques gouttes de sauce Tabasco
	poivre du moulin

Bien mélanger raifort, crème sure et chapelure.

Ajouter le reste des ingrédients et assaisonner généreusement. Servir avec le bœuf bouilli.

Rôti de bœuf en casserole

(pour 4 personnes)

1 PORTION	488 CALORIES	21g GLUCIDES
56g PROTÉINES	20g LIPIDES	3,0g FIBRES

30 ml	(2 c. à soupe) huile végétale
1,4 kg	(3 livres) rôti dans la pointe de surlonge
5	oignons, en quartiers
500 ml	(2 tasses) vin rouge sec
500 ml	(2 tasses) sauce tomate chaude
1	gousse d'ail, écrasée et hachée
2 ml	(½ c. à thé) thym
2 ml	(½ c. à thé) basilic
2 ml	(½ c. à thé) piment de la Jamaïque
	sel et poivre

Préchauffer le four à 180°C (350°F).

Faire chauffer l'huile dans une grande casserole allant au four. Faire saisir le rôti, sur tous les côtés, 6 à 8 minutes à feu moyen-vif. Bien assaisonner.

Ajouter les oignons; continuer la cuisson 6 à 8 minutes à feu moyen.

Incorporer vin et sauce tomate. Ajouter ail et épices; amener à ébullition. Couvrir et faire cuire 2 h ½ au four.

Servir avec des légumes.

Faire saisir le rôti 6 à 8 minutes à feu moyen-vif. Bien assaisonner.

Incorporer le vin.

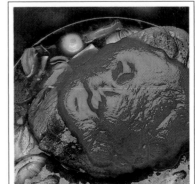

Ajouter les oignons; continuer la cuisson 6 à 8 minutes à feu moyen.

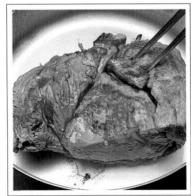

Incorporer la sauce tomate. Ajouter ail et épices; amener à ébullition. Finir la cuisson au four pendant 2 h ½.

Ragoût de bœuf

(pour 4 personnes)

1 PORTION	513 CALORIES	36g GLUCIDES
36g PROTÉINES	25g LIPIDES	3,0g FIBRES

30 ml	(2 c. à soupe) huile végétale
900 g	(2 livres) haut de côtes désossées, en cubes
2 ml	(½ c. à thé) chili en poudre
60 ml	(4 c. à soupe) farine
15 ml	(1 c. à soupe) beurre
1	gousse d'ail, écrasée et hachée
1	oignon, grossièrement haché
1	branche de céleri, en dés
1 ml	(¼ c. à thé) thym
1	clou de girofle
2 ml	(½ c. à thé) estragon
2 ml	(½ c. à thé) basilic
796 ml	(28 oz) tomates en conserve
625 ml	(2 ½ tasses) bouillon de bœuf chaud
30 ml	(2 c. à soupe) pâte de tomates
2	grosses pommes de terre, pelées et en cubes
2	grosses carottes, pelées et en cubes
	sel et poivre

Préchauffer le four à 180°C (350°F).

Faire chauffer l'huile dans une casserole allant au four. Ajouter la moitié de la viande; faire saisir 3 minutes à feu moyen-vif. Retourner la viande. Ajouter chili, sel et poivre; faire cuire 3 minutes. Retirer de la casserole et mettre de côté.

Répéter la même opération pour le reste de la viande.

Remettre toute la viande saisie dans la casserole. Ajouter la farine; bien mêler et faire cuire 2 à 3 minutes à feu moyen.

Retirer la viande et la mettre de côté.

Faire fondre le beurre dans la casserole. Ajouter ail, oignon, céleri et épices; faire cuire 3 à 4 minutes à feu moyen.

Incorporer les tomates et leur jus. Rectifier l'assaisonnement. Remettre la viande dans la casserole et bien mêler.

Incorporer le bouillon de bœuf, mélanger et incorporer la pâte de tomates; couvrir et amener à ébullition. Faire cuire 1 heure au four.

Ajouter les légumes; couvrir et continuer la cuisson au four pendant 1 heure.

40 minutes avant la fin de la cuisson, retirer le couvercle.

Servir le ragoût avec du pain à l'ail.

Faire saisir
la moitié de la viande
pendant 3 minutes à
feu moyen-vif.
Retourner la viande
et ajouter chili, sel et
poivre; continuer la
cuisson 3 minutes.
Retirer et mettre de
côté. Répéter la
même opération pour
le reste de la viande.

Faire cuire
ail, oignon, céleri et
épices 3 à 4 minutes
à feu moyen.

Remettre
toute la viande saisie
dans la casserole.
Ajouter la farine;
mêler et faire cuire
2 à 3 minutes à feu
moyen.

Incorporer
les tomates et leur
jus. Rectifier
l'assaisonnement.

Faire sauter
la viande et l'ail à feu
vif pendant
2 minutes. Ajouter le
soya, mélanger et
retirer la viande de la
poêle.

Ajouter piment
et cosses de pois;
continuer la cuisson
2 minutes en
mélangeant
fréquemment.

Mettre oignons
et cornichons dans la
poêle. Faire cuire
2 minutes à feu vif.
Poivrer.

Remettre la
viande dans la poêle.
Ajouter les fèves
germées; laisser
mijoter 2 minutes à
feu moyen-doux.
Servir.

Bœuf à la minute

(pour 4 personnes)

1 PORTION	410 CALORIES	11g GLUCIDES
51g PROTÉINES	18g LIPIDES	2,2g FIBRES

30 ml	(2 c. à soupe) huile végétale
900 g	(2 livres) contre-filet, en lanières
1	gousse d'ail, écrasée et hachée
30 ml	(2 c. à soupe) sauce soya
4	oignons verts, en morceaux de 2,5 cm (1 po)
1	oignon rouge, coupé en deux et émincé
2	cornichons frais, émincés
1	piment jaune émincé
200 g	(7 oz) cosses de pois, nettoyées
250 ml	(1 tasse) fèves germées
	sel et poivre

Faire chauffer l'huile dans une grande poêle. Ajouter viande et ail; faire sauter 2 minutes à feu vif.

Saler, poivrer et ajouter le soya; mélanger et retirer la viande de la poêle. Mettre de côté.

Mettre oignons et cornichons dans la poêle; faire cuire 2 minutes à feu vif. Poivrer.

Ajouter piment et cosses de pois; continuer la cuisson à feu vif pendant 2 minutes en remuant fréquemment.

Remettre la viande dans la poêle et ajouter les fèves germées. Laisser mijoter 2 à 3 minutes à feu moyen-doux. Servir.

Rôti de côtes aux légumes

(pour 4 personnes)

1 PORTION	749 CALORIES	24g GLUCIDES
71g PROTÉINES	41g LIPIDES	3,7g FIBRES

30 ml	(2 c. à soupe) huile végétale
1,8 à 2,3 kg	(4 à 5 livres) rôti de côtes désossées, ficelé
3	oignons, coupés en quartiers
1	feuille de laurier
1 ml	(¼ c. à thé) thym
1 ml	(¼ c. à thé) basilic
375 ml	(1 ½ tasse) bière
375 ml	(1 ½ tasse) sauce brune
4	carottes, pelées
4	poireaux, coupés en 4 sur la longueur en partant de 2,5 cm (1 po) du pied, lavés
15 ml	(1 c. à soupe) fécule de maïs
45 ml	(3 c. à soupe) eau froide
	sel et poivre

Préchauffer le four à 180°C (350°F).

Faire chauffer l'huile dans une casserole allant au four. Ajouter la viande; saisir sur tous les côtés de 8 à 10 minutes.

Ajouter oignons, feuille de laurier et épices; continuer la cuisson 4 à 5 minutes.

Ajouter la bière et amener à ébullition. Incorporer la sauce brune et amener à nouveau à ébullition.

Couvrir et faire cuire au four pendant 1 h ½.

Retirer la casserole du four et ajouter les carottes; couvrir et continuer la cuisson au four pendant 1 heure.

20 minutes avant la fin de la cuisson, ajouter les poireaux.

Dès que le rôti est cuit, le placer avec les légumes dans un plat de service.

Placer la casserole à feu moyen-vif et amener le liquide de cuisson à ébullition. Délayer fécule de maïs et eau froide. Incorporer à la sauce; faire épaissir de 3 à 4 minutes à feu moyen.

Rectifier l'assaisonnement. Servir la sauce avec le rôti et les légumes.

Steak au poivre vert en cachette

(pour 4 personnes)

1 PORTION	387 CALORIES	12g GLUCIDES
51g PROTÉINES	15g LIPIDES	1,5g FIBRES

750 ml	(1 ½ livre) bœuf haché
1	œuf
30 ml	(2 c. à soupe) chapelure
15 ml	(1 c. à soupe) persil frais haché
2 ml	(½ c. à thé) sauce Worcestershire
30 ml	(2 c. à soupe) huile végétale
1	oignon haché
500 g	(1 livre) champignons frais, nettoyés et émincés
30 ml	(2 c. à soupe) grains de poivre vert
375 ml	(1 ½ tasse) bouillon de bœuf chaud
15 ml	(1 c. à soupe) fécule de maïs
45 ml	(3 c. à soupe) eau froide
	sel et poivre

Mélanger viande, œuf, chapelure, persil et sauce Worcestershire 2 minutes dans un malaxeur à vitesse rapide. Assaisonner au goût. Former 4 steaks.

Faire chauffer l'huile dans une poêle à frire. Ajouter les steaks et faire cuire 8 à 10 minutes à feu moyen en retournant les steaks fréquemment.

Retirer les steaks de la poêle et les garder au chaud dans le four.

Mettre les oignons dans la poêle; faire cuire 2 minutes. Ajouter champignons et poivre vert. Assaisonner et continuer la cuisson 3 à 4 minutes à feu moyen.

Incorporer le bouillon de bœuf, remuer et amener à ébullition. Délayer fécule de maïs et eau froide. Incorporer à la sauce et faire épaissir 2 minutes.

Retirer les steaks du four. Servir avec la sauce.

Steak Salisbury

(pour 4 personnes)

1 PORTION	436 CALORIES	16g GLUCIDES
57g PROTÉINES	16g LIPIDES	2,1g FIBRES

900 g	(2 livres) bœuf maigre haché
30 ml	(2 c. à soupe) chapelure
1	jaune d'œuf
15 ml	(1 c. à soupe) persil frais haché
2 ml	(½ c. à thé) chili en poudre
30 ml	(2 c. à soupe) huile végétale
4	oignons émincés
30 ml	(2 c. à soupe) pâte de tomates
2 ml	(½ c. à thé) basilic
500 ml	(2 tasses) bouillon de poulet chaud
25 ml	(1 ½ c. à soupe) fécule de maïs
45 ml	(3 c. à soupe) eau froide
	sel et poivre

Préchauffer le four à 70°C (150°F).

Mélanger viande, chapelure, œuf, persil, chili, sel et poivre dans un bol. Former 4 steaks.

Faire chauffer l'huile dans une grande poêle à frire. Faire cuire les steaks 8 à 10 minutes à feu moyen en les retournant fréquemment. Dès qu'ils sont cuits, les retirer de la poêle et les tenir au chaud dans le four.

Mettre les oignons dans la poêle; faire cuire 4 minutes à feu moyen.

Incorporer pâte de tomates, basilic et bouillon de bœuf; amener à ébullition. Rectifier l'assaisonnement.

Délayer fécule de maïs et eau froide. Incorporer à la sauce et faire cuire 3 à 4 minutes.

Verser la sauce aux oignons sur les steaks. Servir.

Poitrine de bœuf braisée

(pour 4 à 6 personnes)

1 PORTION	558 CALORIES	5g GLUCIDES
22g PROTÉINES	50g LIPIDES	0,5g FIBRES

30 ml	(2 c. à soupe) huile végétale
1,8 kg	(4 livres) poitrine de bœuf, ficelée
2	gros oignons, émincés
1	clou de girofle
30 ml	(2 c. à soupe) paprika
1 ml	(¼ c. à thé) thym
5 ml	(1 c. à thé) persil frais haché
250 ml	(1 tasse) bière
500 ml	(2 tasses) bouillon de bœuf léger, chaud
30 ml	(2 c. à soupe) fécule de maïs
60 ml	(4 c. à soupe) eau froide
50 ml	(¼ tasse) crème sure
	sel et poivre

Préchauffer le four à 180°C (350°F).

Faire chauffer l'huile dans une casserole allant au four. Faire saisir le bœuf, sur tous les côtés, pendant 8 minutes à feu moyen. Retirer et saler, poivrer.

Mettre les oignons dans la casserole; faire cuire 4 minutes.

Ajouter les épices; faire cuire 2 minutes.

Ajouter la bière, amener à ébullition et faire cuire 3 minutes à feu moyen. Remettre la viande dans la casserole et ajouter le bouillon de bœuf. Rectifier l'assaisonnement et amener à ébullition.

Couvrir et faire cuire 2 h à 2 h ½ au four. La viande doit être tendre au moment de servir.

Dès que la viande est cuite, la retirer de la casserole et la mettre de côté.

Remettre la casserole sur l'élément à feu moyen et amener le liquide de cuisson à ébullition. Délayer la fécule de maïs et l'eau froide. Incorporer à la sauce et continuer la cuisson 3 minutes.

Retirer du feu. Incorporer la crème sure.

Servir la sauce avec la viande.

Saucisses italiennes aux légumes

(pour 4 personnes)

1 PORTION	276 CALORIES	31g GLUCIDES
11g PROTÉINES	12g LIPIDES	3,6g FIBRES

2	carottes pelées et coupées en biseau, 2,5 cm (1 po) d'épaisseur
24	petits oignons blancs
1	petite courgette, coupée en biseau, 2,5 cm (1 po) d'épaisseur
30 ml	(2 c. à soupe) huile végétale
2	pommes pelées et en sections (retirer le cœur)
4	saucisses italiennes, coupées en biseau, 2,5 cm (1 po) d'épaisseur
2	gousses d'ail, écrasées et hachées
375 ml	(1 ½ tasse) bouillon de poulet chaud
15 ml	(1 c. à soupe) pâte de tomates
15 ml	(1 c. à soupe) fécule de maïs
45 ml	(3 c. à soupe) eau froide
	sel et poivre

Placer les carottes dans une casserole et les recouvrir d'eau; faire bouillir 6 minutes sans couvrir.

Ajouter oignons et courgettes. Saler et faire cuire 3 minutes. Égoutter les légumes. Laisser refroidir légèrement.

Faire chauffer l'huile dans une grande poêle à frire. Faire cuire légumes, pommes, saucisses et ail, 4 à 5 minutes à feu vif. Bien assaisonner.

Incorporer le bouillon de poulet et amener à ébullition.

Incorporer la pâte de tomates et faire cuire 1 minute à feu moyen-doux. Délayer fécule de maïs et eau froide. Incorporer à la sauce et prolonger la cuisson de 1 minute.

Servir avec du riz.

Ragoût au poulet crémeux

(pour 4 personnes)

1 PORTION	333 CALORIES	29g GLUCIDES
25g PROTÉINES	13g LIPIDES	2,7g FIBRES

1,6 kg	(3 ½ livres) poulet sans peau, coupé en 10 morceaux
1	petit oignon, grossièrement haché
1	branche de céleri en dés
1	feuille de laurier
1	branche de persil
1 ml	(¼ c. à thé) sel de céleri
2 ml	(½ c. à thé) basilic
45 ml	(3 c. à soupe) beurre
60 ml	(4 c. à soupe) farine
2	grosses carottes cuites, coupées en gros dés
1	grosse pomme de terre cuite, coupée en gros dés
1	gros panais cuit, coupé en gros dés
	sel et poivre
	paprika

Assaisonner les morceaux de poulet de sel, poivre et paprika. Placer cuisses et pilons dans une grande sauteuse et les recouvrir d'eau froide.

Ajouter oignon, céleri, feuille de laurier et épices; couvrir et amener à ébullition. Continuer la cuisson 16 minutes à feu moyen.

Ajouter le reste du poulet; couvrir et continuer la cuisson 20 minutes.

Transférer les morceaux de poulet dans une grande assiette. Mettre de côté. Passer le liquide de cuisson à travers une fine passoire.

Faire chauffer le beurre dans une casserole. Ajouter la farine; mélanger et faire cuire 2 à 3 minutes en remuant de temps en temps.

Incorporer la moitié du liquide de cuisson et bien remuer avec un fouet. Incorporer le reste du liquide et assaisonner. Faire cuire 3 à 4 minutes à feu moyen-doux.

Remettre le poulet dans la sauce; finir la cuisson 8 à 10 minutes à feu doux sans couvrir.

Couper le poulet **1** en 10 morceaux et retirer la peau. Assaisonner de sel, poivre et paprika.

3 Ajouter oignon, céleri, feuille de laurier et épices; couvrir et amener à ébullition.

Mettre les cuisses **2** et les pilons dans une grande sauteuse et les recouvrir d'eau froide.

4 Mettre les légumes cuits dans la sauce et continuer la cuisson.

Poulet rôti

(pour 4 personnes)

1 PORTION	321 CALORIES	12g GLUCIDES
30g PROTÉINES	17g LIPIDES	1,9g FIBRES

1,8 à 2,3 kg	(4 à 5 livres) poulet, nettoyé
1	grosse carotte
2	branches de céleri
1	oignon coupé en deux
2 à 3	branches de persil frais
1	feuille de laurier
45 ml	(3 c. à soupe) beurre fondu
1	oignon, en dés
2 ml	(½ c. à thé) estragon
375 ml	(1½ tasse) bouillon de poulet chaud
25 ml	(1½ c. à soupe) fécule de maïs
45 ml	(3 c. à soupe) eau froide
	sel et poivre

Préchauffer le four à 220°C (425°F).

Remplir l'intérieur du poulet de carotte, céleri, demi-oignons, persil et feuille de laurier. Ajouter 15 ml (1 c. à soupe) de beurre fondu.

Ficeler et badigeonner le poulet de beurre fondu. Placer dans un plat à rôtir. Assaisonner généreusement et faire saisir 15 minutes au four.

Réduire le four à 180°C (350°F) et finir la cuisson en comptant 25 à 30 minutes par 500 g (livre).

Dès que le poulet est cuit, le retirer du plat à rôtir et le mettre de côté.

Placer le plat sur l'élément à feu vif. Ajouter oignons en dés et estragon; faire cuire 4 minutes.

Incorporer le bouillon de poulet et amener à ébullition. Assaisonner et continuer la cuisson de 3 à 4 minutes.

Délayer fécule et eau froide. Incorporer à la sauce; faire épaissir de 1 à 2 minutes.

Servir avec le poulet rôti.

Remplir l'intérieur du poulet de légumes, persil et feuille de laurier. Arroser le tout de 15 ml (1 c. à soupe) de beurre fondu.

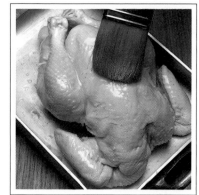

Enfiler du fil de cuisine dans une aiguille à volaille. Passer l'aiguille à travers la cavité du poulet et piquer deux fois dans chaque cuisse. Attacher.

Placer le poulet dans un plat à rôtir et le badigeonner de beurre fondu. Assaisonner et saisir 15 minutes au four.

Dès que le poulet est cuit, le retirer du plat. Préparer la sauce dans le jus de cuisson.

Poulet
à l'ananas

(pour 4 personnes)

1 PORTION	252 CALORIES	14g GLUCIDES
22g PROTÉINES	12g LIPIDES	0,5g FIBRES

30 ml	(2 c. à soupe) huile végétale
2	poitrines de poulet entières, sans peau, désossées et coupées en cubes
15 ml	(1 c. à soupe) gingembre frais haché
45 ml	(3 c. à soupe) pignons (noix de pins)
398 ml	(14 oz) boîte d'ananas en morceaux
45 ml	(3 c. à soupe) vinaigre de vin
375 ml	(1 ½ tasse) bouillon de poulet chaud
5 ml	(1 c. à thé) sauce soya
15 ml	(1 c. à soupe) fécule de maïs
45 ml	(3 c. à soupe) eau froide
	sel et poivre

Faire chauffer l'huile dans une grande poêle à frire. Ajouter poulet, gingembre et pignons. Assaisonner et faire cuire 4 à 5 minutes. Remuer 1 fois.

Égoutter les ananas et réserver 125 ml (½ tasse) du jus. Ajouter les ananas au poulet; continuer la cuisson 3 à 4 minutes à feu doux.

Retirer les morceaux de poulet. Mettre de côté.

Ajouter le vinaigre à la sauce et faire bouillir 1 minute. Incorporer bouillon de poulet, jus d'ananas et sauce soya. Bien assaisonner et amener à ébullition; faire cuire 3 minutes.

Délayer fécule de maïs et eau froide. Incorporer à la sauce et amener à ébullition; faire cuire 1 minute.

Remettre le poulet dans la sauce. Rectifier l'assaisonnement et laisser mijoter quelques minutes pour réchauffer le poulet.

Foies de poulet
au marsala

(pour 4 personnes)

1 PORTION	397 CALORIES	21g GLUCIDES
40g PROTÉINES	17g LIPIDES	0,8g FIBRES

750 g	(1 ½ livre) foies de poulet, nettoyés, dégraissés et coupés en deux
125 ml	(½ tasse) farine assaisonnée
30 ml	(2 c. à soupe) huile végétale
15 ml	(1 c. à soupe) beurre
1	petit oignon, finement haché
250 g	(½ livre) champignons frais, nettoyés et émincés
15 ml	(1 c. à soupe) persil frais haché
125 ml	(½ tasse) vin de Marsala
250 ml	(1 tasse) bouillon de poulet chaud
5 ml	(1 c. à thé) fécule de maïs
30 ml	(2 c. à soupe) eau froide
	sel et poivre

Enfariner les foies. Faire chauffer huile et beurre dans une poêle à frire. Ajouter les foies; faire cuire 4 minutes à feu vif en remuant 1 fois.

Ajouter oignon, champignons et persil. Assaisonner et continuer la cuisson 4 à 5 minutes à feu moyen.

Incorporer vin et bouillon de poulet; remuer et faire mijoter 4 minutes à feu doux.

Délayer fécule de maïs et eau froide. Incorporer à la sauce et amener à ébullition. Laisser mijoter 2 minutes à feu doux. Servir sur des nouilles.

Filet de porc sauté

(pour 4 personnes)

1 PORTION	357 CALORIES	12g GLUCIDES
30g PROTÉINES	21g LIPIDES	1,5g FIBRES

2	filets de porc
30 ml	(2 c. à soupe) sauce soya
50 ml	(¼ tasse) sherry sec
45 ml	(3 c. à soupe) huile végétale
1	poireau (le blanc seulement), émincé
250 g	(½ livre) champignons frais, nettoyés et émincés
3	oignons verts, en bâtonnets
1	piment vert, émincé
125 ml	(½ tasse) pois congelés, cuits
500 ml	(2 tasses) bouillon de poulet chaud
30 ml	(2 c. à soupe) fécule de maïs
60 ml	(4 c. à soupe) eau froide
	sel et poivre

Retirer le gras des filets. Tailler la viande en biseau, en tranches de 2 cm (¾ po) d'épaisseur. Mettre dans un bol et ajouter soya et sherry; laisser mariner 30 minutes.

Retirer la viande du bol. Réserver la marinade.

Faire chauffer 25 ml (1 ½ c. à soupe) d'huile dans une poêle à frire. Ajouter la moitié de la viande; faire saisir 3 à 4 minutes à feu moyen. Retourner la viande une fois et saler, poivrer.

Retirer la viande cuite et la mettre de côté. Faire cuire le reste de la viande dans la poêle chaude sans ajouter d'huile.

Mettre toute la viande cuite de côté. Faire chauffer le reste d'huile dans la poêle. Ajouter les légumes; faire cuire 3 à 4 minutes à feu vif. Bien assaisonner.

Incorporer bouillon de poulet et marinade; amener à ébullition.

Délayer fécule de maïs et eau froide. Incorporer à la sauce; laisser mijoter 1 à 2 minutes à feu moyen.

Remettre la viande dans la sauce; laisser mijoter 3 à 4 minutes à feu doux. Servir.

1 Préparer tous les ingrédients avant de commencer la recette.

2 Mettre viande et épices dans un grand bol à mélanger ou le bol d'un malaxeur. Ajouter oignons et ail; bien mélanger.

Pain de viande

(pour 6 à 8 personnes)

1 PORTION	317 CALORIES	14g GLUCIDES
36g PROTÉINES	13g LIPIDES	0,3g FIBRES

500 g	(1 livre) bœuf maigre haché
250 g	(½ livre) porc maigre haché
250 g	(½ livre) veau haché
15 ml	(1 c. à soupe) persil frais haché
1 ml	(¼ c. à thé) thym
1 ml	(¼ c. à thé) chili en poudre
1 ml	(¼ c. à thé) basilic
1	oignon haché, cuit
2	gousses d'ail, écrasées et hachées
375 ml	(1½ tasse) chapelure fine
2	œufs
250 ml	(1 tasse) crème légère
	sel et poivre
	quelques feuilles de laurier

Préchauffer le four à 180°C (350°F).

Moule de 25 × 10 cm (10 × 4 po).

Mettre viande et épices dans le bol d'un malaxeur. Ajouter oignon et ail; bien mélanger.

Ajouter chapelure et œufs; mélanger et incorporer la crème.

Pour vérifier l'assaisonnement, faire cuire une toute petite galette du mélange dans de l'huile chaude. Goûter et rectifier l'assaisonnement en conséquence.

Presser le mélange de viande dans le moule. Placer les feuilles de laurier sur le dessus. Déposer le moule dans un plat à rôtir contenant 2,5 cm (1 po) d'eau chaude. Faire cuire au four pendant 1 h ½.

Servir tel quel ou avec une sauce aux champignons.

Sauce aux champignons pour pain de viande

1 PORTION	30 CALORIES	2g GLUCIDES
1g PROTÉINE	2g LIPIDES	0,2g FIBRES

30 ml	(2 c. à soupe) huile végétale
250 g	(½ livre) champignons frais, nettoyés et tranchés
30 ml	(2 c. à soupe) oignon haché
250 ml	(1 tasse) aubergine, pelée et en dés
500 ml	(2 tasses) bouillon de bœuf chaud
15 ml	(1 c. à soupe) ciboulette hachée
30 ml	(2 c. à soupe) fécule de maïs
60 ml	(4 c. à soupe) eau froide
	sel et poivre

Faire chauffer l'huile dans une poêle à frire. Ajouter champignons, oignon et aubergine; couvrir et faire cuire 10 minutes à feu doux. Bien assaisonner.

Incorporer bouillon de bœuf et ciboulette. Bien assaisonner et amener à ébullition.

Délayer fécule de maïs et eau froide. Incorporer à la sauce et faire chauffer 4 à 5 minutes à feu doux.

Verser sur le pain de viande ou servir avec des hamburgers.

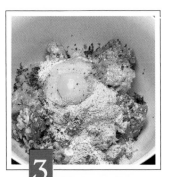

3 Ajouter chapelure et œufs. Incorporer la crème.

4 Presser le mélange dans le moule et garnir de feuilles de laurier. Placer le tout dans un plat à rôtir contenant de l'eau chaude. Faire cuire au four.

Boulettes de viande et épinards à l'ail

(pour 4 personnes)

1 PORTION	446 CALORIES	14g GLUCIDES
57g PROTÉINES	18g LIPIDES	1,9g FIBRES

750 g	(1 ½ livre) porc maigre haché
1	oignon haché, cuit
1 ml	(¼ c. à thé) chili en poudre
5 ml	(1 c. à thé) sauce Worcestershire
1	œuf
30 ml	(2 c. à soupe) huile végétale
375 ml	(1 ½ tasse) bouillon de poulet chaud
15 ml	(1 c. à soupe) sauce soya
15 ml	(1 c. à soupe) fécule de maïs
45 ml	(3 c. à soupe) eau froide
2	gousses d'ail, écrasées et hachées
900 g	(2 livres) épinards frais, cuits et hachés
	sel et poivre

Dans un robot culinaire, bien incorporer porc, oignon, chili, sauce Worcestershire, œuf, sel et poivre. Former des boulettes avec le mélange.

Faire chauffer la moitié de l'huile dans une grande poêle à frire. Ajouter les boulettes; faire cuire 3 à 4 minutes sur tous les côtés. Assaisonner généreusement.

À l'aide d'une petite cuiller, retirer et jeter la majeure partie du gras qui se trouve dans la poêle. Verser le bouillon de poulet dans la poêle et ajouter la sauce soya. Couvrir et continuer la cuisson des boulettes pendant 6 minutes.

Délayer fécule de maïs et eau froide. Incorporer à la sauce et continuer la cuisson 3 minutes.

Entre-temps, faire chauffer le reste de l'huile dans une autre poêle à frire. Ajouter ail et épinards, faire cuire 3 minutes à feu moyen. Bien assaisonner.

Servir les épinards avec les boulettes de porc.

Rôti de porc au cidre

(pour 4 personnes)

1 PORTION	1107 CALORIES	32g GLUCIDES
112g PROTÉINES	59g LIPIDES	2,2g FIBRES

30 ml	(2 c. à soupe) huile végétale
2,3 kg	(5 livres) épaule de porc, dégraissée et ficelée
2	oignons, émincés
2	pommes, pelées et en sections (retirer le cœur)
500 ml	(2 tasses) cidre de pommes
250 ml	(1 tasse) bouillon de poulet chaud
1 ml	(¼ c. à thé) thym
2 ml	(½ c. à thé) basilic
125 ml	(½ tasse) raisins de Smyrne
15 ml	(1 c. à soupe) fécule de maïs
30 ml	(2 c. à soupe) eau froide
	sel et poivre

Préchauffer le four à 150°C (300°F).

Faire chauffer l'huile dans une casserole allant au four. Faire saisir la viande, de tous les côtés, pendant 8 minutes à feu moyen. Retirer la viande et bien assaisonner.

Mettre oignons et pommes dans la casserole; faire cuire 5 à 6 minutes.

Ajouter le cidre et amener à ébullition; faire chauffer 2 minutes.

Incorporer le bouillon de poulet; bien remuer et remettre la viande dans la sauce. Ajouter les épices; couvrir et amener à ébullition.

Finir la cuisson au four de 2 h à 2 h ½.

Dès que le rôti de porc est cuit, le transférer dans un plat de service. Remettre la casserole à feu moyen et amener le liquide de cuisson à ébullition; écumer.

Incorporer les raisins. Délayer la fécule de maïs et l'eau froide. Incorporer à la sauce; faire chauffer 1 minute. Rectifier l'assaisonnement.

Servir la sauce avec le rôti de porc.

Galettes de bœuf au riz

(pour 4 personnes)

1 PORTION	396 CALORIES	28g GLUCIDES
17g PROTÉINES	24g LIPIDES	1,0g FIBRES

45 ml	(3 c. à soupe) huile
1	oignon, finement haché
175 ml	(¾ tasse) bœuf maigre haché
15 ml	(1 c. à soupe) persil frais haché
1 ml	(¼ c. à thé) clou moulu
30 ml	(2 c. à soupe) farine
375 ml	(1½ tasse) restes de riz cuit
125 ml	(½ tasse) fromage gruyère râpé
1	œuf
30 ml	(2 c. à soupe) beurre
500 ml	(2 tasses) sauce tomate piquante
	sel et poivre
	fromage parmesan au goût

Faire chauffer l'huile dans une poêle à frire. Ajouter l'oignon; faire cuire 3 minutes à feu doux.

Ajouter le bœuf. Saler, poivrer et ajouter persil et clou; mélanger et faire cuire 3 à 4 minutes à feu moyen.

Incorporer farine et riz. Ajouter le gruyère; mélanger de nouveau. Faire cuire 3 minutes.

Laisser refroidir le tout. Ajouter l'œuf et mélanger. Transférer le mélange dans un malaxeur; mélanger 2 minutes.

Les mains enfarinées, former des galettes avec le mélange. Faire chauffer le beurre et faire cuire les galettes 4 minutes de chaque côté.

Servir avec une sauce tomate et du parmesan râpé.

Riz aux légumes

Riz aux tomates

(pour 4 personnes)

1 PORTION	209 CALORIES	35g GLUCIDES
6g PROTÉINES	5g LIPIDES	1,5g FIBRES

15 ml	(1 c. à soupe) huile d'olive
1	oignon haché
1	gousse d'ail, écrasée et hachée
15 ml	(1 c. à soupe) persil frais haché
375 ml	(1½ tasse) tomates en conserve, égouttées et hachées
250 ml	(1 tasse) riz à longs grains, rincé
15 ml	(1 c. à soupe) pâte de tomates
300 ml	(1¼ tasse) jus de tomates
125 ml	(½ tasse) fromage parmesan râpé
	sel et poivre

Préchauffer le four à 180°C (350°F).

Faire chauffer l'huile dans une casserole allant au four. Ajouter oignon, ail et persil; faire cuire 2 minutes à feu moyen.

Incorporer les tomates; faire cuire 3 minutes à feu vif. Saler, poivrer.

Ajouter riz, pâte et jus de tomates; amener à ébullition. Couvrir et faire cuire 18 minutes au four.

5 minutes avant la fin de la cuisson, incorporer le fromage avec une fourchette.

(pour 4 personnes)

1 PORTION	242 CALORIES	33g GLUCIDES
5g PROTÉINES	10g LIPIDES	3,7g FIBRES

15 ml	(1 c. à soupe) huile d'olive
3	oignons verts, finement hachés
250 ml	(1 tasse) riz à longs grains, rincé
1 ml	(¼ c. à thé) thym
1	feuille de laurier
375 ml	(1½ tasse) bouillon de poulet chaud
30 ml	(2 c. à soupe) beurre
¼	branche de céleri, en dés
125 ml	(½ tasse) pois verts cuits
125 ml	(½ tasse) carottes en dés, cuites
125 ml	(½ tasse) courgettes en dés
125 ml	(½ tasse) champignons en dés
	sel et poivre

Préchauffer le four à 180°C (350°F).

Faire chauffer l'huile dans une cocotte. Ajouter les oignons; faire cuire 3 minutes à feu doux.

Incorporer le riz; faire cuire 2 minutes à feu moyen. Saler, poivrer et ajouter thym et feuille de laurier.

Ajouter le bouillon de poulet; remuer, couvrir et amener à ébullition. Faire cuire au four 18 minutes.

Entre-temps, faire chauffer le beurre dans une poêle à frire. Ajouter tous les légumes; faire cuire 3 à 4 minutes. Assaisonner généreusement.

5 minutes avant la fin de cuisson du riz, incorporer les légumes.

Galettes de céleri-rave

(pour 4 personnes)

1 PORTION	409 CALORIES	37g GLUCIDES
18g PROTÉINES	21g LIPIDES	1,6g FIBRES

500 g	(1 livre) céleri-rave pelé et dans l'eau citronnée
4	grosses pommes de terre, pelées et blanchies 15 minutes
375 ml	(1 ½ tasse) fromage gruyère râpé
30 ml	(2 c. à soupe) huile végétale
	sel et poivre

Préchauffer le four à 220°C (425°F).

Assécher le céleri-rave et le couper en fine julienne; mettre dans un bol. Couper les pommes de terre en fine julienne et les mettre dans le bol. Ajouter le fromage; assaisonner et bien mêler. Réfrigérer 1 heure.

Faire chauffer l'huile dans une grande poêle à frire. Ajouter le mélange de céleri-rave et le presser avec une spatule. Faire cuire 15 minutes à feu moyen.

Finir la cuisson au four pendant 15 minutes. Si nécessaire, protéger la poignée de la poêle à frire en la recouvrant d'un papier d'aluminium.

Couper en pointe de tarte. Servir.

Galettes de pommes de terre

(pour 4 personnes)

1 PORTION	408 CALORIES	34g GLUCIDES
5g PROTÉINES	28g LIPIDES	2,0g FIBRES

8	pommes de terre, pelées et bouillies
45 ml	(3 c. à soupe) beurre
2	jaunes d'œufs
2 ml	(½ c. à thé) gingembre
2 ml	(½ c. à thé) sarriette
5 ml	(1 c. à thé) graines de céleri
5 ml	(1 c. à thé) graines de sésame
50 ml	(¼ tasse) crème à 35 %
45 ml	(3 c. à soupe) huile d'arachide
	sel et poivre blanc

Passer les pommes de terre dans un moulin à légumes muni d'une grille fine. Saler, poivrer.

Ajouter le beurre et les jaunes d'œufs. Mélanger pour bien incorporer les ingrédients. Ajouter les épices et la crème; mélanger de nouveau. Laisser refroidir.

Les mains enfarinées, former des galettes avec le mélange. Faire chauffer l'huile dans une grande poêle à frire. Ajouter les galettes et faire cuire 3 minutes de chaque côté à feu moyen-vif.

Servir immédiatement.

Pâté du berger

(pour 4 à 6 personnes)

1 PORTION	587 CALORIES	44g GLUCIDES
42g PROTÉINES	27g LIPIDES	3,9g FIBRES

30 ml	(2 c. à soupe) huile
½	oignon rouge, haché
15 ml	(1 c. à soupe) persil frais haché
250 g	(½ livre) champignons frais, nettoyés et grossièrement hachés
1 ml	(¼ c. à thé) clou moulu
1 ml	(¼ c. à thé) piment de la Jamaïque
500 g	(1 livre) bœuf maigre haché

250 g	(½ livre) porc maigre haché
2 ml	(½ c. à thé) basilic
1 ml	(¼ c. à thé) thym
341 ml	(12 oz) boîte de maïs en grains, égoutté
375 ml	(1 ½ tasse) sauce tomate chaude
125 ml	(½ tasse) fromage romano râpé
750 à 875 ml	(3 à 3 ½ tasses) purée de pommes de terre
30 ml	(2 c. à soupe) beurre fondu
	une pincée de paprika
	sel et poivre

Préchauffer le four à 190°C (375°F).

Faire chauffer l'huile dans une sauteuse. Ajouter oignon et persil; faire cuire 2 minutes. Ajouter champignons, clou et piment de Jamaïque; continuer la cuisson 3 minutes à feu moyen.

Incorporer bœuf, porc, basilic et thym; faire cuire 5 à 6 minutes à feu moyen vif.

Incorporer le maïs, assaisonner et faire cuire 3 à 4 minutes. Ajouter sauce tomate et fromage; continuer la cuisson 2 à 3 minutes à feu moyen.

Étendre le mélange dans un grand plat à gratin. Recouvrir le tout de purée de pommes de terre.

Saupoudrer les pommes de terre de paprika et arroser le tout de beurre fondu. Faire cuire 45 minutes au four.

Faire cuire champignons, clou et piment de Jamaïque 3 minutes à feu moyen.

Incorporer bœuf, porc, basilic et thym; faire cuire 5 à 6 minutes à feu moyen-vif.

Ajouter le maïs. Assaisonner et faire cuire 3 à 4 minutes. Ajouter sauce tomate et fromage; continuer la cuisson 2 à 3 minutes.

Étendre le mélange dans un grand plat à gratin et recouvrir le tout de purée de pommes de terre.

Pizza au pita

(pour 4 personnes)

1 PORTION	553 CALORIES	57g GLUCIDES
25g PROTÉINES	25g LIPIDES	3,9g FIBRES

4 ml	petits pains pita à blé entier
250 à 375 ml	(1 à 1 ½ tasse) sauce tomate, chaude
12	champignons frais, nettoyés et émincés
½	piment vert, en rondelles
½	piment rouge, en rondelles
12	olives noires dénoyautées, émincées
2	saucisses de porc
250 ml	(1 tasse) fromage mozzarella râpé
300 ml	(1 ¼ tasse) fromage cheddar râpé
	persil frais haché au goût
	sel et poivre

Préchauffer le four à 220°C (425°F).

Placer les pains pita sur une plaque à biscuits et les recouvrir de sauce tomate. Ajouter champignons, piments et olives.

Retirer la chair des saucisses. Parsemer la chair sur les pizzas. Ajouter les fromages et assaisonner de persil, sel et poivre.

Faire cuire 10 minutes au milieu du four.

Voici une bonne façon d'utiliser des restes de légumes. Le choix des légumes ne dépend que de vous!

Salade de pommes de terre chaudes

(pour 4 personnes)

1 PORTION	180 CALORIES	27g GLUCIDES
9g PROTÉINES	4g LIPIDES	1,0g FIBRES

4	grosses pommes de terre, bouillies avec la peau et encore chaudes
4	tranches de bacon, en dés
3	oignons verts, hachés
1	branche du cœur de céleri, finement hachée
1	gousse d'ail, écrasée et hachée
125 ml	(½ tasse) vinaigre de vin rouge
175 ml	(¾ tasse) bouillon de poulet chaud
15 ml	(1 c. à soupe) ciboulette hachée
	sel et poivre

Peler et couper les pommes de terre en grosses tranches. Tenir au chaud dans un four préchauffé à 70°C (150°F).

Faire cuire le bacon dans une poêle à frire 4 minutes ou jusqu'à ce qu'il soit croustillant. Retirer le bacon et le mettre de côté.

Mettre oignons, céleri et ail dans le gras de bacon; faire cuire 3 minutes à feu moyen.

Incorporer le vinaigre; faire cuire 1 minute à feu vif. Incorporer le bouillon; continuer la cuisson 2 minutes.

Ajouter la ciboulette et assaisonner généreusement. Verser sur les pommes de terre chaudes. Laisser reposer 10 minutes sur le comptoir.

Servir sur des feuilles de laitue. Parsemer de bacon croustillant.

Croquettes de sole

(pour 4 personnes)

1 PORTION	543 CALORIES	42g GLUCIDES
33g PROTÉINES	27g LIPIDES	0,2g FIBRES

60 ml	(4 c. à soupe) beurre
50 ml	(¼ tasse) farine
250 ml	(1 tasse) lait chaud
3	filets de sole, cuits et hachés
1	petite enveloppe de gélatine non aromatisée, ramollie dans l'eau
1	jaune d'œuf
50 ml	(¼ tasse) crème à 35%
15 ml	(1 c. à soupe) persil frais haché
3	blancs d'œufs
15 ml	(1 c. à soupe) huile
500 ml	(2 tasses) chapelure
	sel et poivre
	jus de ¼ citron

Faire chauffer le beurre dans une casserole. Ajouter la farine; mélanger et faire cuire 2 minutes à feu doux.

Incorporer le lait avec un fouet. Assaisonner et continuer la cuisson pendant 5 minutes.

Retirer la casserole du feu. Ajouter poisson et gélatine. Mélanger jaune d'œuf et crème. Incorporer au mélange.

Ajouter persil et jus de citron. Rectifier l'assaisonnement.

Étendre le mélange dans une grande assiette; couvrir d'une pellicule plastique et réfrigérer 2 heures.

Battre blancs d'œufs et huile jusqu'à ce qu'ils moussent légèrement.

Former des croquettes en forme de tube avec le mélange de poisson. Rouler les croquettes dans la chapelure, les tremper dans les blancs battus et les rouler de nouveau dans la chapelure.

Faire dorer les croquettes dans de l'huile d'arachide chaude. Servir.

Tomates farcies au fromage

(pour 4 personnes)

1 PORTION	180 CALORIES	18g GLUCIDES
9g PROTÉINES	8g LIPIDES	3,2g FIBRES

4	grosses tomates
15 ml	(1 c. à soupe) huile végétale
1	petit oignon, finement haché
1	gousse d'ail, écrasée et hachée
2 ml	(½ c. à thé) origan
15	champignons frais, nettoyés et émincés
15 ml	(1 c. à soupe) persil frais haché
125 ml	(½ tasse) fromage ricotta
75 ml	(⅓ tasse) chapelure
	sel et poivre

Préchauffer le four à 190°C (375°F).

Retirer le pédicule de chaque tomate. Retourner la tomate à l'envers et découper la calotte de chaque tomate. Très délicatement, retirer le chair sans abîmer la peau.

Placer les tomates évidées dans un plat à gratin. Saler, poivrer et arroser la cavité d'huile. Mettre la chair de côté.

Faire chauffer l'huile dans une poêle à frire. Ajouter oignon et ail; faire cuire 3 à 4 minutes.

Ajouter chair de tomates, origan, champignons et persil. Saler, poivrer et faire cuire 4 à 5 minutes à feu moyen.

Incorporer fromage et chapelure; faire cuire 2 à 3 minutes à feu moyen.

Farcir les tomates du mélange. Faire cuire 30 à 35 minutes au four.

1 Retirer le pédicule de chaque tomate. Retourner les tomates à l'envers et découper la calotte de chaque tomate. (On peut l'utiliser comme garniture au moment de servir.)

3 Faire cuire oignon et ail. Ajouter chair de tomates, origan, champignons et persil. Saler, poivrer; faire cuire 4 à 5 minutes à feu moyen.

2 Très délicatement, retirer la chair sans abîmer la peau. Saler, poivrer et arroser la cavité d'huile. Mettre de côté.

4 Incorporer fromage et chapelure; faire cuire 2 à 3 minutes. Farcir les tomates. Faire cuire 30 à 35 minutes au four.

Salade de pommes de terre au citron

(pour 4 personnes)

1 PORTION	291 CALORIES	18g GLUCIDES
3g PROTÉINES	23g LIPIDES	1,4g FIBRES

125 ml	(½ tasse) mayonnaise
15 ml	(1 c. à soupe) persil frais haché
30 ml	(2 c. à soupe) zeste de citron râpé
4	pommes de terre bouillies, pelées et coupées en gros dés
2	branches de céleri, en dés
50 ml	(¼ tasse) oignon rouge haché
	jus de ½ citron
	sel et poivre

Mélanger mayonnaise, persil, zeste et jus de citron. Assaisonner au goût.

Mettre pommes de terre, céleri et oignon dans un bol; bien mêler.

Arroser le tout de vinaigrette au citron; mélanger de nouveau et servir.

Langues de bœuf en salade

(pour 4 personnes)

1 PORTION	232 CALORIES	10g GLUCIDES
12g PROTÉINES	16g LIPIDES	1,5g FIBRES

1	gros concombre, pelé, épépiné et en julienne
1	pomme pelée et en sections (retirer le cœur)
250 ml	(1 tasse) betteraves cuites, en julienne
500 ml	(2 tasses) langue de bœuf cuite, en julienne
45 ml	(3 c. à soupe) câpres
50 ml	(¼ tasse) mayonnaise
15 ml	(1 c. à soupe) moutarde forte
15 ml	(1 c. à soupe) pâte d'anchois
	quelques gouttes de jus de citron
	sel et poivre

Mettre les concombres dans un bol. Saler et laisser mariner 30 minutes.

Égoutter les concombres et les mettre dans un autre bol. Ajouter pomme, betteraves, langue et câpres; bien mélanger.

Incorporer mayonnaise, moutarde, pâte d'anchois et jus de citron. Saler, poivrer. Verser la vinaigrette sur la salade. Mélanger le tout.

Servir sur des feuilles de laitue.

Délicieuse salade à la dinde

(pour 4 personnes)

1 PORTION	262 CALORIES	11g GLUCIDES
23g PROTÉINES	14g LIPIDES	2,3g FIBRES

500 ml	(2 tasses) restes de dinde cuite, en dés
2	carottes, pelées et râpées
125 ml	(½ tasse) oignon finement haché
2	oignons verts, finement hachés
1	branche de céleri, en dés
1	concombre pelé, épépiné et tranché
24	champignons frais, nettoyés et émincés
50 ml	(¼ tasse) jus de limette
2	feuilles de menthe, hachées
90 g	(3 oz) fromage à la crème, mou
15 ml	(1 c. à soupe) huile
5 ml	(1 c. à thé) vinaigre de vin
	quelques gouttes de sauce Worcestershire
	sel et poivre

Mettre restes de dinde et légumes dans un grand bol à salade.

Dans un blender, bien mélanger le reste des ingrédients. Rectifier l'assaisonnement.

Verser la vinaigrette sur la salade. Refroidir. Servir.

Garbure de légumes

(pour 6 à 8 personnes)

1 PORTION	140 CALORIES	22g GLUCIDES
4g PROTÉINES	4g LIPIDES	2,4g FIBRES

30 ml	(2 c. à soupe) beurre fondu
2	oignons hachés
2	oignons verts émincés
2	carottes pelées et émincées
2	pommes de terre, pelées et en gros dés
1	petit navet, pelé et émincé
1	panais, pelé et émincé
1	feuille de laurier
3	branches de persil frais
2ml	(½ c. à thé) basilic
1 ml	(¼ c. à thé) romarin
2 ml	(½ c. à thé) cerfeuil
1 ml	(¼ c. à thé) marjolaine
¼	chou, effeuillé
2 L	(8 tasses) bouillon de poulet chaud
1	piment jaune, en dés
1	piment rouge, en dés
375 ml	(1 ½ tasse) gros croûtons
50 ml	(¼ tasse) fromage gruyère râpé
	sel et poivre

Faire chauffer le beurre dans une grande casserole. Ajouter oignons et oignons verts; couvrir et faire cuire 3 minutes à feu moyen.

Ajouter carottes, pommes de terre, navet et panais; bien mélanger. Couvrir et continuer la cuisson 5 minutes.

Ajouter les épices; bien mêler et ajouter le chou. Incorporer le bouillon de poulet et amener à ébullition, sans couvrir, à feu vif.

Faire cuire la soupe, sans couvrir, pendant 35 minutes à feu moyen-doux.

5 minutes avant la fin de la cuisson, ajouter les piments.

Servir avec croûtons et fromage râpé.

Œufs brouillés aux légumes

(pour 4 personnes)

1 PORTION	251 CALORIES	5g GLUCIDES
15g PROTÉINES	19g LIPIDES	1,3g FIBRES

30 ml	(2 c. à soupe) beurre
12	tomates naines
¼	concombre, en petits dés
4	oignons verts, en bâtonnets de 2,5 cm (1 po)
8	œufs battus, assaisonnés
6	tranches de salami, en lanières
	sel et poivre

Faire chauffer le beurre dans une poêle en téflon. Ajouter les légumes; faire cuire 3 à 4 minutes à feu moyen-vif. Bien assaisonner et remuer 1 fois.

Réduire l'élément à feu moyen. Verser les œufs dans la poêle. Mélanger rapidement et continuer la cuisson de 1 à 2 minutes en remuant constamment.

Ajouter les lanières de salami, remuer et servir immédiatement. Accompagner de bacon, si désiré.

Omelette au fromage et épinards

(pour 4 à 6 personnes)

1 PORTION	441 CALORIES	5g GLUCIDES
31g PROTÉINES	33g LIPIDES	0,8g FIBRES

30 ml	(2 c. à soupe) beurre
375 ml	(1 ½ tasse) épinards cuits, émincés
6	œufs
125 ml	(½ tasse) fromage gruyère râpé
	sel et poivre

Faire chauffer 15 ml (1 c. à soupe) de beurre dans une poêle en téflon. Ajouter les épinards, saler et poivrer. Cuire 3 minutes à feu vif.

Casser les œufs dans un bol et les battre à la fourchette. Bien assaisonner.

Mettre les épinards dans les œufs et bien mélanger.

Faire chauffer le reste du beurre dans une poêle en téflon. Ajouter le mélange et faire cuire 3 minutes à feu moyen.

Parsemer de fromage; couvrir et continuer la cuisson 2 à 3 minutes à feu moyen-doux.

Servir.

Omelette aux pommes de terre

(pour 2 personnes)

PORTION	441 CALORIES 18g GLUCIDES
8g PROTÉINES	33g LIPIDES 1,1g FIBRES

0 ml	(2 c. à soupe) beurre
ml	(1 c. à thé) huile végétale
	pommes de terre pelées et tranchées
0 ml	(2 c. à soupe) oignon haché
5 ml	(1 c. à soupe) persil haché frais
	œufs
	une pincée de muscade
	sel et poivre

aire chauffer 15 ml (1 c. à oupe) de beurre et l'huile dans ne petite poêle à frire.

jouter les pommes de terre et ssaisonner. Les cuire 2 à minutes de chaque côté à feu oyen. Les remuer au cours de la uisson.

aupoudrer la muscade sur les ommes de terre et mélanger; ouvrir et continuer la cuisson 8 à 0 minutes.

ien mélanger; ajouter oignon et ersil. Cuire, sans couvrir, 3 à minutes.

ntre-temps, casser les œufs ans un bol et les battre à la ourchette; saler et poivrer.

aire chauffer le reste du beurre ans une poêle en téflon.

jouter les œufs et cuire une inute à feu vif.

emuer les œufs rapidement et jouter les pommes de terre. ouler l'omelette et continuer la uisson 1 minute.

ervir avec des brocoli. Décorer vec des pommes de terre.

Œufs farcis à la moutarde

(pour 4 à 6 personnes)

1 PORTION	241 CALORIES 0g GLUCIDES
13g PROTÉINES	21g LIPIDES 0,2g FIBRES

12	œufs durs, coupés en 2 sur la longueur
30 ml	(2 c. à soupe) moutarde de Dijon
60 ml	(4 c. à soupe) mayonnaise
	quelques gouttes de sauce Tabasco
	jus de citron au goût
	sel et poivre
	persil frais haché
	quelques feuilles de laitue, lavées et égouttées

Forcer les jaunes d'œufs à travers une passoire en utilisant le dos d'une cuiller. Les mettre dans un bol et bien mélanger.

Ajouter moutarde, mayonnaise, sauce Tabasco, jus de citron, sel et poivre.

Bien mélanger et rectifier l'assaisonnement.

Introduire le mélange dans un sac à pâtisserie muni d'une douille étoilée.

Farcir les blancs d'œufs; saupoudrer de persil.

Disposer les œufs farcis sur les feuilles de laitue et servir.

Si désiré, mettre le plat, recouvert d'une feuille de plastique, au réfrigérateur jusqu'au moment de servir.

Œufs pochés au bacon

(pour 4 à 6 personnes)

1 PORTION	288 CALORIES	1g GLUCIDES
17g PROTÉINES	24g LIPIDES	0g FIBRES

1.5 L	(6 tasses) eau
5 ml	(1 c. à thé) vinaigre blanc
4	œufs
6	tranches de bacon croustillant
	sel
	pain grillé beurré

Mettre eau, vinaigre et sel dans une casserole; amener à ébullition.

Réduire la chaleur pour que l'eau mijote. Délicatement, glisser les œufs, un par un, dans l'eau. Faire cuire 3 minutes à feu moyen.

Retirer les œufs avec une cuiller à trous et égoutter.

Servir sur le pain grillé, avec le bacon. Décorer avec des tomates tranchées.